COLECCIÓN LINGÜÍSTICA

JUAN C. ZAMORA MUNNÉ
JORGE M. GUITART

DIALECTOLOGÍA HISPANOAMERICANA

JUAN C. ZAMORA MUNNÉ
JORGE M. GUITART

DIALECTOLOGÍA HISPANOAMERICANA

Teoría - Descripción - Historia

con una introducción a la fonología contemporánea de la lengua castellana, de Jorge M. Guitart

Ediciones Almar, S.A. - Salamanca

A Margarita, Margaritica y Vicky.

A Sarah; Nicholas y Jennifer.

ISBN: 84-7455-037-8
Depósito legal: S. 502-1982
Imprime: Gráficas Ortega, S.A.
Pol. El Montalvo - Salamanca

CONTENIDO

CAPITULO I

Nociones generales

1.0. Dialectología

La lingüística es la ciencia que estudia el lenguaje. La dialectología es aquella parte de la lingüística que estudia la heterogeneidad de las lenguas, es decir que observa y explica el hecho de que las lenguas no sean homogéneas, sino que estén compuestas de un mayor o menor número de dialectos más o menos diferentes entre sí. La dialectología, sin otra especificación, estudia fenómenos universales del lenguaje, comunes a todas las lenguas.

El término puede especificarse; es posible hablar de dialectología francesa, española, alemana, china, etcétera. Cuando se limita así el campo, ya no se estudian los fenómenos en sí, sino su aplicación a una lengua, o a un grupo de dialectos de esa lengua, como es el caso cuando se habla de dialectología hispanoamericana.

1.1. Terminología y teoría

En los párrafos anteriores aparecen una serie de términos (lenguaje, lengua, dialecto, universal) que pueden usarse en la conversación diaria de personas sin especialización en la lingüística. No debe ser necesario hacer hincapié en que las palabras que comparten legos y especialistas, tienen frecuentemente significados diferentes para unos y para otros. En todo caso el especialista requiere mucha mayor precisión en los términos.

En situaciones de la vida diaria basta hablar de *agua.* Para un químico, sin embargo, es esencial saber si se trata de H_2O puro, o si contiene impurezas; si existen impurezas, el químico tiene que saber qué elementos están presentes en el líquido, además de hidrógeno y oxígeno. El resultado de un experimento en el que se use agua, puede variar grandemente según la presencia o ausencia de impurezas, y según cuáles sean éstas. Obviamente *agua* quiere decir una cosa que no requiere mayor precisión para un lego, y algo muy bien definido y limitado para un químico. Si se estudia cualquier ciencia hay que saber exactamente cómo se define una palabra en esa ciencia; el concepto que de la palabra se tenga por la experiencia vital no resulta suficiente.

Por otra parte es muy posible que la lengua no contenga una palabra para un hecho recién descubierto, o para un objeto o proceso recién inventado. Entonces es necesario acuñar una palabra nueva, como en el caso de *ionización, pasteurización* o *autogiro,* en las respectivas épocas en que se descubrió o inventó lo que denominan. A veces lo que se requiere es la delimitación de un concepto general, que puede expresarse mediante una frase o serie de palabras, pero que obviamente resulta más 'económico' expresarlo mediante una sola. Así un fonetista podría usar la frase *sonidos del habla,* pero como tiene que hablar de ellos constantemente le resulta más fácil acuñar un nuevo y único vocablo, *fono,* para expresar el mismo concepto.

El uso de una terminología científica resulta imprescindible para el especialista, así como para aquel que quiera iniciarse en un campo de especialización. Esta terminología puede resultar difícil de aprender, pero una vez aprendida facilita extraordinariamente el estudio. Aunque pueda resultar confusa y aun atemorizante para el neófito, se crea precisamente para aclarar y facilitar. Por eso en los epígrafes siguientes se tratará de precisar algunos términos esenciales para el estudio de la dialectología, o de una dialectología en particular. Otros términos se explicarán según se vayan presentando.

Dentro de la terminología científica hay vocablos que pueden definirse simplemente por tener referentes específicos y muy objetivamente comprobables. Este es el caso, por ejemplo, de la palabra *sustrato,* dentro de la dialectología; a ella se hará referencia más adelante. Sin embargo, hay otros términos cuya definición presupone la perspectiva de una posición teórica determinada. En física al hablar de *masa* hay que saber si el punto de partida es el de Newton o el de Einstein.

Los términos que a continuación se definen son aquellos que más requieren de apoyo teórico. Al definirlos se explicarán sus bases teóricas, aunque en forma breve, y aun simplificada. Es decir, que se darán las explicaciones necesarias, pero no se pretende desarrollar completamente las teorías correspondientes.

1.2. LENGUAJE

Lenguaje es la facultad que permite a los seres humanos comunicarse entre sí. La comunicación se realiza mediante el intercambio, en el diálogo, de 'mensajes', que tienen la forma de oraciones [1]. Quizá la característica más importante del lenguaje sea su creatividad, o capacidad innovadora, que permite al hablante producir y entender oraciones que no ha oído nunca antes. Dicho de otra manera, los seres humanos pueden producir y entender un número potencialmente infinito de oraciones, a pesar de tener a su haber únicamente un limitado número de elementos, e igualmente limitado número de reglas que determinan las combinaciones posibles de esos elementos. Ya en 1836 Wilhelm von Humboldt decía que el lenguaje hace «uso ilimitado de medios limitados» (en Valverde 1955: 129).

Al conjunto de elementos y reglas que los hablantes poseen, y que les permite interpretar y producir oraciones noveles, se le denomina *gramática*. Esta incluye no sólo lo morfosintáctico, sino también lo semántico y fónico. El hablante/oyente sabe cómo se combinan afijos y raíces en palabras, y éstas en oraciones, pero también sabe qué significan las oraciones, y cómo se pronuncian. Este conocimiento es inconsciente e inaccesible a la introspección.

Normalmente el hablante no reflexiona sobre su lengua, siendo únicamente los lingüistas los que lo hacen de modo sistemático. Tampoco pueden éstos 'mirar' directamente en la mente para inspeccionar el sistema lingüístico; para llegar a éste deben acercarse a los datos con una teoría de cómo está constituida y cómo funciona esa gramática que todos llevamos dentro. La *gramática* que el lingüista construye (y esta es la segunda acepción del término) no es sino un modelo o representación hipotética de la gramática real de los hablantes.

En los últimos años ha dominado la lingüística la llamada teoría generativo-transformacional. Desarrollada por Noam Chomsky

1. En la oración se dice algo (predicado), sobre alguien o algo (sujeto).

y sus colegas y discípulos a partir de 1957, dicha teoría se propone principalmente construir una gramática, un modelo, absolutamente explícita del conocimiento del hablante. En dicho marco se establece una diferencia tajante entre la capacidad lingüística del hablante, y su puesta en práctica por el propio hablante. A esa capacidad, es decir, a lo que el hablante sabe de su propia lengua que le permite producir y entender oraciones, se le llama *competencia,* y a las muestras que el hablante da de esa capacidad se las denomina la *actuación.* La lingüística para Chomsky es la teoría de la competencia, no ocupándose de factores tales como las diferencias individuales de inteligencia, experiencia y memoria, o la influencia de lo social, por considerar que dichos factores afectan a la actuación. Esta limitación del objeto de estudio de la lingüística ha sido muy criticada. Es posible rechazar la limitación, aceptando sin embargo en líneas generales los pronunciamientos teóricos de Chomsky sobre la naturaleza del lenguaje. Esta última posición es la que se adopta en este libro, siempre que la materia y los datos disponibles lo permiten.

La gramática real de los hablantes, postula Chomsky, es a la vez generativa y transformacional, y así debe ser también la gramática representativa que elabora el lingüista. Es generativa por tener la capacidad de generar un número infinito de oraciones partiendo de un número finito de unidades y reglas. Entiéndase bien que 'generar' se usa aquí en el sentido matemático de 'especificar', no en el de 'producir'. Aclarando, la regla matemática de multiplicar es un mecanismo generativo: genera o especifica un número infinito de resultados, pero no puede decirse que dicha regla sea un mecanismo productor de números. Se entiende que es transformacional una gramática que puede dar cuenta de las relaciones que existen entre diferentes versiones oracionales de un mismo mensaje semántico, y dilucidar el sentido de oraciones que a primera vista pueden parecer ambiguas.

El hablante sabe que (1) 'Quiero agua' y (2) 'Lo que quiero es agua' significan lo mismo. La gramática que propone Chomsky contiene una *transformación* o *regla transformacional* que a una base común a (1) y (2) incorpora para (2) una serie de elementos, sin cambiar la relación básica entre 'yo' y 'agua'. Esa transformación aditiva *representa* en efecto el conocimiento inconsciente que el hablante tiene de la relación entre (1) y (2). En otros casos la transformación puede eliminar en vez de añadir. Se explica así la sinonimias entre (3) 'Luis tiene hambre, pero yo no tengo hambre' y (4) 'Luis tiene hambre, pero yo no'. La (4) dicha con entonación descendente nunca se percibe como incompleta, y el que la escucha entiende que efectivamente el hablante no tiene hambre. La gramática tradicional había dado cuenta, mediante la teoría de la elipsis, del hecho de que las alocuciones contienen elementos 'sobreentendidos'. La gramática chomskiana se propone explicitar la actividad de 'sobreentender', y al efecto postula que a cada oración de la lengua 'subyace' una construcción en que se describen con todo detalle —sin dejar nada a la intuición— las relaciones entre las partes de dicha oración, incluyéndose además todos los elementos que puedan estar ausentes de su realización física. A esa construcción absolutamente explícita se la denomina la *estructura profunda* o *subyacente* de la oración. La estructura profunda de (4) contiene la información de que se trata de una oración compuesta coordinada en la que 'Luis' y 'yo' son los sujetos, 'tener' es el verbo en cada uno de los casos, etcétera, y además incluye los elementos elípticos (sobreentendidos) 'tengo' y 'hambre'. Las oraciones (3) y (4) tienen entonces la misma estructura profunda, difiriendo sin embargo en su *estructura de superficie,* que es el análisis de la oración tal y como ocurre en el discurso.

En la dilucidación del significado de una oración la teoría supone que el hablante subconscientemente se remite a la estructura profunda. Las oraciones (5) 'Ricardo parece fácil de persuadir' y (6) 'Ricardo parece ansioso de persuadir' tienen estructuras de superficie similares; las dos se componen de sujeto, verbo, adjetivo y frase preposicional. Pero tal análisis, limitado a la estructura de superficie, no muestra que las relaciones entre 'Ricardo' y 'persuadir' son diferentes para las dos oraciones. En (5) Ricardo sería el persuadido, y en (6) sería el que persuadiría. La estructura profunda de (5) especifica que 'Ricardo' es un objeto (complemento), y la de (6) que es el sujeto. La dicotomía *estructura profunda/estructura de superficie* sirve para describir y aclarar el fenómeno de la ambigüedad o ambivalencia de oraciones como (7) 'La reunión fue suspendida por María Luisa'. Un análisis basado en la teoría que se viene desarrollando demostraría que a la única estructura de superficie (7) corresponden dos estructuras profundas, una en que María Luisa es el sujeto que suspendió la reunión, y otra en que María Luisa es parte de una frase adverbial de causa: alguien (no especificado —elíptico— en la estructura de superficie) suspendió la reunión a causa de María Luisa.

La estructura profunda de una oración puede considerarse compuesta de lo que Samuel Gili y Gaya llama *elementos sin-*

tácticos enteros: sujeto y predicado, éste a su vez formado por el verbo, el complemento circunstancial, el complemento directo, etcétera (Gili y Gaya 1961, 80). Un análisis de las características estructurales de estos *elementos* permite reformular el concepto de oración (O) como compuesta de una frase nominal (FN), más una frase verbal (FV). La FN se compone de un nombre (N) y opcionalmente de un determinador (D) y/o un adjetivo (ADJ). La FV se compone de un verbo (V) y/o una frase adverbial (FA), y/o una FN, y/o la preposición *a* más una FN (a FN). La FA a su vez puede componerse de un adverbio (ADV) o de una preposición más una FN (prep FN). Todo esto, que desde luego está extraordinariamente simplificado, formaría el conjunto de reglas de estructura de frase que un hablante debe de conocer para formar la estructura profunda de una oración simple, activa, declarativa y afirmativa. Dichas reglas usualmente se representan de manera formulaica [2]:

$$
\begin{array}{rcl}
\text{O} & \rightarrow & \text{FN FV} \\
\text{FN} & \rightarrow & \text{(DET) N (ADJ)} \\
\text{FV} & \rightarrow & \text{V(FA) (FN) (a FN)} \\
\text{FA} & \rightarrow & \left\{ \begin{array}{l} \text{ADV} \\ \text{prep FN} \end{array} \right\}
\end{array}
$$

La estructura profunda de la oración *José le pagó rápidamente la cuenta a la camarera rubia* puede representarse gráficamente mediante el siguiente diagrama arbóreo:

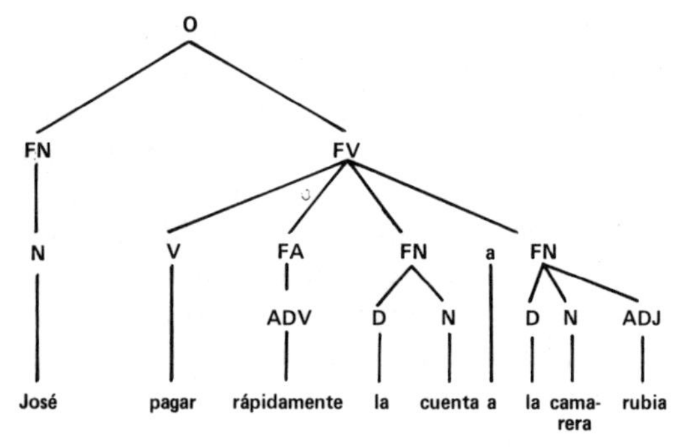

Diagrama 1

2. Convencionalmente en las reglas de estructura de frase una flecha horizontal (→) quiere decir que el elemento a la izquierda de ella se

Para llegar a la estructura de superficie se aplican reglas transformacionales que insertan *le* y logran la concordancia entre N en la primera FN y V. En la oración negativa se requiere una regla para insertar *no.* Para lograr la oración *La cuenta le fue pagada rápidamente a la camarera rubia* resulta necesaria una regla para producir pasiva, y otra que luego elimine *por José.*

Además de las reglas de estructura de frase y transformacionales, que como se ha visto son de carácter sintáctico, la gramática incluye también reglas morfológicas, que rigen la combinación de raíces y afijos en palabras, y reglas fonológicas, que especifican la pronunciación (véanse más adelante los capítulos correspondientes). Debe subrayarse que por *regla* no se entiende algo preceptivo, un estándar de corrección, sino que se trata simplemente de la formulación que hace el lingüista de lo que el hablante tiene que saber para formar las oraciones de su lengua, y entender las que se le dicen. En este sentido puede decirse que todo hablante conoce la gramática (las reglas) de su lengua, aunque no sepa expresarla o formularla. Se trata de un conocimiento inconsciente, y las reglas que formula el lingüista son un acercamiento hipotético a dicho conocimiento, es decir, al sistema que domina el hablante.

1.3. Lengua

Para que pueda existir comunicación lingüística entre dos hablantes cualesquiera es necesario que compartan la misma gramática. La comunicación sólo es posible si ambas partes en el diálogo usan los mismos signos y reglas.

Lengua es ese conjunto de signos y reglas que comparte un grupo de hablantes. Es necesario ampliar así el concepto saussuriano de *langue,* añadiendo a los signos y relaciones sintagmáticas limitadas que postulaba el lingüista suizo (Saussure 1915) las re-

compone de los que aparecen a la derecha. Los elementos entre paréntesis son opcionales, pueden aparecer o no. Las dos llaves opuestas { } indican que debe usarse uno de los elementos que aparecen entre ellas, es decir, que no hay opción de usarlos o no, pero sí que puede elegirse cualquiera de ellos. Claro que las reglas pueden expresarse en texto corrido, sin fórmulas, pero la representación formulaica es más 'económica' y, sobre todo, permite que los errores, las contradicciones y las inconsistencias salten a la vista.

glas sintácticas, léxicas y fonológicas que permiten formar las estructuras profundas, y pasar de ellas a las de superficie [3].

Como no todos los seres humanos comparten los mismos signos y reglas, existen en el mundo no una sino muchas lenguas (miles, literalmente): la lengua japonesa, la hebrea, la alemana, la castellana, etcétera. Cada una de éstas es el sistema de signos y reglas que es común a todos sus hablantes, y que permite que éstos hablen, que se comuniquen los unos con los otros.

Una característica que es general a todas las lenguas, es que éstas cambian con el pasar del tiempo. Algunos cambios se deben a factores externos a la lengua, tales como la migración o la conquista, que producen el contacto con otras lenguas o con otras circunstancias. El cambio también puede deberse a factores internos a la lengua; las tensiones estructurales, la influencia de unas unidades sobre otras, son ejemplos de este tipo de factores.

Basta fijarse en un texto antiguo para comprobar que una lengua cualquiera ha cambiado. Los cambios se producen a todo nivel: léxico, sintáctico y morfológico. Los cambios resultan muy obvios si la perspectiva abarca un largo período de tiempo; si se compara el texto del *Poema del Cid* con cualquier texto español actual por ejemplo. Los cambios son más obvios cuando se comparan dos textos entre los cuales media tanto tiempo, pero el proceso de cambio es constante, y aunque se requiere mayor observación, el cambio puede verse aún en períodos relativamente breves.

1.4. Dialecto

Hay casos de lenguas de grupos primitivos, muy reducidos en número, y aislados del resto del mundo, donde la comunicación entre todos los hablantes de esas lenguas es constante. En el caso de una de estas lenguas el concepto de dialecto resulta inaplicable.

La situación descrita en el párrafo anterior es hoy muy poco común. Lo usual es que los hablantes de una lengua sean muchos en número, y que ocupen un territorio de bastante extensión, en el cual existan barreras naturales e inclusive fronteras nacionales.

3. Chomsky rechaza el concepto saussuriano de *langue* (lengua), por considerarlo un mero conjunto de unidades (Chomsky 1965, 4). La crítica a la limitación es correcta; pero el concepto, ampliado para incluir reglas, es esencial. Sin lo compartido no puede existir comunicación.

El número de los hablantes, la distancia y los obstáculos físicos y políticos hacen que la comunicación constante resulte imposible para todos. La totalidad de los hablantes de una lengua estará generalmente dividida en grupos menores que ocupan espacios geográficamente definidos; entre los miembros de estos grupos más pequeños la comunicación sí es constante o, al menos, frecuente. La continuidad en la comunicación caracteriza a las relaciones intragrupo; pero en las relaciones intergrupos la comunicación se dificulta y, en todo caso, no es constante.

A la par que los grupos se distancian unos de otros, los procesos de cambio temporal que caracterizan a la lengua afectan a todos los hablantes por igual. Pero los cambios, como se indicó en el epígrafe anterior, son varios en naturaleza y se producen por diferentes razones. Como las circunstancias de cada uno de los grupos no son idénticas, no existirán las mismas razones para el cambio en todos los grupos. Como consecuencia el habla de cada grupo será, en mayor o menor grado, diferente de la de los otros. Es decir, una lengua está cambiando constantemente, pero los cambios son de diferente naturaleza en cada una de las regiones donde existen grupos de hablantes de esa lengua. Esto produce la dialectalización. Como la dialectalización es, en última instancia, el resultado inevitable de deficiencias en la comunicación (producto a su vez de número, distancia y obstáculos al contacto) y del pasar del tiempo, sólo estará ausente de aquellas lenguas con un grupo tan reducido de hablantes como para que no existan deficiencias en la comunicación, según se dijo antes.

Dialecto es, entonces, la forma históricamente determinada de la lengua de un grupo que ocupa un espacio geográficamente definible. En este sentido no puede establecerse una distinción entre hablantes de lengua frente a hablantes de dialecto. Todo el mundo habla algún dialecto, y una lengua no es más que la suma de sus dialectos.

Por razones políticas, económicas, sociales e inclusive militares, los hablantes de un dialecto pueden lograr una situación de superioridad o dominio sobre los de otros. Esto puede llevarlos a considerar que su dialecto es superior a los demás, a creer que ellos hablan la forma mejor o más pura, y que los demás hablan formas inferiores o corruptas.

Esta manera de pensar puede inclusive legalizarse y oficializarse, pero carece de fundamento lingüístico. La posición ventajosa del grupo se logra por razones ajenas al lenguaje. Siendo el lenguaje un instrumento, sólo es válido lingüísticamente juzgar un dialecto según permita lograr el objetivo para el que existe, el de hacer posible la comunicación. Como todos los dialectos, incluyendo al que logre una situación de predominio, son igualmente eficaces para la comunicación, todos tienen lingüísticamente el mismo valor.

Otra idea que debe rechazarse, por carecer de apoyo en la realidad comprobable, es la de que un dialecto es esencialmente superior a los demás, por haberse derivado éstos de aquél. Como se explicó antes, para que exista variación en una lengua es necesario que haya mediado el pasar del tiempo; es imposible que formas que coexisten temporalmente se deriven unas de otras. En un momento dado, la forma de la lengua en una región es el resultado de los cambios sufridos por una forma anterior, que por definición no puede tener existencia actual. Desde luego que una lengua puede haber tenido su origen más remoto en una región específica, pero el dialecto actual de dicha región habrá cambiado tanto en cuanto se le compare a la forma primitiva, como cualquier otro dialecto.

Una pluralidad de factores puede darle predominio a un dialecto determinado; puede inclusive ocurrir que los habitantes de otras regiones acepten subordinar sus propios dialectos. Con frecuencia ocurre que la literatura de una lengua se produce en uno solo de los dialectos, excepto aquella que se autocalifique de 'regionalista'. Esta situación refleja una realidad social, y los hablantes de esa lengua no pueden desconocer esa realidad sin sufrir consecuencias negativas. Con una perspectiva sociolingüística negar dicha realidad sería acientífico; pero hay que repetir que sería igualmente acientífico reclamar apoyo puramente lingüístico para una primacía que se logra por razones ajenas a la naturaleza del lenguaje. Por otra parte, si las razones que convierten a un dialecto en norma son extralingüísticas, pueden producir efectos lingüísticos, pues la norma, por su prestigio, afecta a los otros dialectos.

1.5. Nivelación dialectal

Aunque la dialectalización generalmente produce una paulatina diferenciación entre dialectos, puede también ocurrir en virtud de un proceso distinto, e inclusive opuesto. Un dialecto puede resultar no de la multiplicación, sino de la reducción a unidad de varios otros dialectos. Al resultado de este proceso de nivelación de varios dialectos en uno sólo se le llama coiné o koiné.

Este fenómeno generalmente ocurre cuando varios grupos de diversas regiones se establecen en otra. La convivencia y la intercomunicación entonces llevan a una selección de algunos de los rasgos de cada dialecto que se mezclan para producir uno nuevo, que no es idéntico a ninguno de los que lo producen. Más adelante se verá cómo en las Antillas en el siglo XVI se desarrolló una coiné, resultado de la nivelación de dialectos andaluces, castellanos, etcétera. Aunque varios dialectos contribuyen a la formación del nuevo, lo usual es que las contribuciones no sean de igual importancia. En el dialecto nuevo se puede observar que predomina uno de sus antecesores.

1.6. LENGUA Y DIALECTO

Una lengua cubre un territorio de alguna extensión, que puede lindar con el de otras lenguas. Los dialectos que forman cualquier lengua cubren en total el mismo territorio que dicha lengua, pero cada uno de ellos cubre un territorio menor que ella. En el diagrama 2, A y B serían lenguas limítrofes; los números identifican a los dialectos de cada lengua.

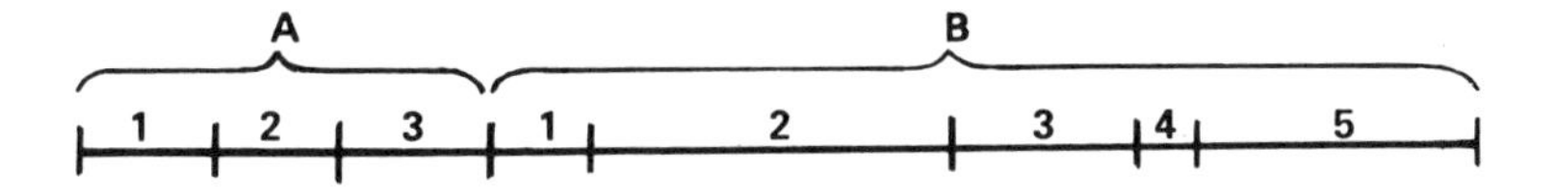

Diagrama 2

Generalmente se dice que son dialectos de una misma lengua aquellos cuyos hablantes se entienden mutuamente, y que la frontera entre dos lenguas está allí donde cesa la comprensión mutua. Puede sin embargo suceder que los hablantes de A3 y B1 (en el diagrama 2) logren un nivel muy elevado de comprensión mutua, aun siendo todos monolingües, si nada obstaculiza el contacto entre ellos. Entre los hablantes de los otros dialectos de A, de una parte, y de B de otra, puede prácticamente no haber comprensión alguna. Inclusive es posible que el nivel de comprensión mutua sea bastante reducido entre los hablantes de B1 y B5, sobre todo si la distancia entre ambas regiones es grande, si la comunicación entre ellas es difícil, y si las circunstancias de dichas regiones son muy diferentes, siendo una de ellas, por ejemplo, interior y agrícola, y la otra costera y altamente industrializada. Las dificultades en el mutuo entendimiento serán particularmente notables en los sectores menos educados de cada región. Esta última afirmación obliga a una disgresión.

Aun dentro de una región muy reducida, y dentro de un grupo pequeño, toda persona tiene una forma de hablar que es exclusivamente suya, su *idiolecto*. Dejando de un lado estas formas individuales, y las variantes socialmente determinadas que se discutirán más adelante, al menos hay que considerar diferencias intragrupo que se deben al mayor o menor nivel de educación. La educación provee al hablante de una mayor riqueza de vocabulario, y le permite manejar estructuras sintácticas más complejas [4]. En líneas muy generales en cualquier dialecto pueden distinguirse tres niveles: el de las personas de escasa o ninguna educación, el de las de educación media, y el de las que han logrado una cultura superior. Esto obliga a considerar dos dimensiones: los diferentes dialectos, puesto que ocupan lugares a lo largo de un territorio, pueden representarse sobre una línea horizontal; los niveles de educación pueden representarse verticalmente, ya que existen en un mismo lugar. En el diagrama 3 se identifican como A, B y C tres áreas dialectales de una misma lengua; los números 1, 2 y 3 identifican respectivamente al nivel de escasa educación, al de educación media y al de los hablantes con cultura superior.

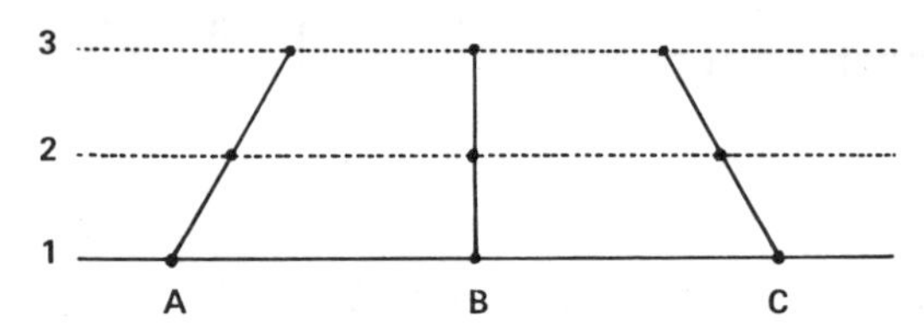

Diagrama 3

Aunque los tres dialectos no se tocan en ningún punto, el diagrama ilustra cómo se acercan según aumenta el nivel de educación; es menor la distancia entre A3 y B3 que entre A1 y B1. La

4. Dicho en términos generativos, los hablantes más educados tienen una competencia mayor que les permite manejar con facilidad un mayor número de reglas transformacionales, sobre todo aquellas que permiten insertar unas oraciones dentro de otras (en términos tradicionales, las que permiten la subordinación).

comprensión intergrupo está en relación directa al nivel de educación. Por eso se dijo más arriba que las limitaciones a la comprensión eran mayores entre los hablantes de escasa educación de diferentes regiones.

Retomando el tema central, resulta evidente que la comprensión, o la falta de ella, no puede tomarse como base para distinguir lenguas entre sí, ni para distinguir entre éstas y sus dialectos. Las estructuras de superficie de diferentes dialectos pueden variar grandemente, pero las estructuras profundas serán casi idénticas. Entre lenguas puede haber semejanzas en la superficie, pero las estructuras profundas serán notablemente disímiles.

Un ejemplo ilustrará lo anterior. En todos los dialectos del español existe una estructura de superficie que puede representarse como sigue:

$$\left\{ \begin{array}{l} \text{¿qué?} \\ \text{¿cuándo?} \\ \text{¿con quién?} \\ \text{étcétera} \end{array} \right\} \quad \text{V} \quad \text{FN}$$

Diagrama 4

La estructura del diagrama 4 es la de oraciones del tipo *¿Qué hiciste tú?* Sin embargo hay algunos dialectos del español en los que la FN, particularmente si es el pronombre *tú,* precede al verbo; la estructura de superficie entonces sería *¿Qué tú hiciste?* La estructura profunda de ambas formas superficiales sería idéntica, según el siguiente diagrama arbóreo:

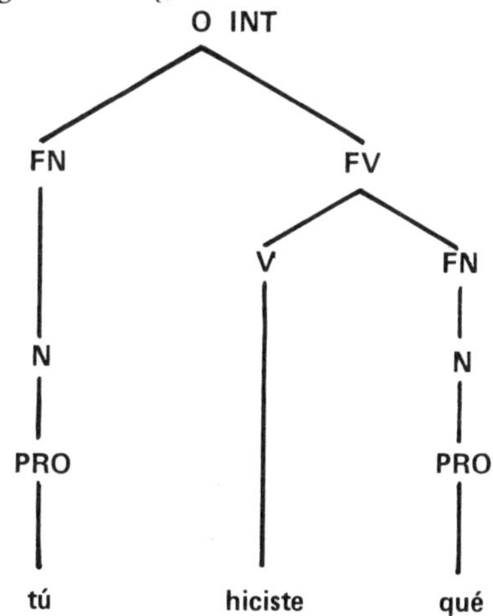

Diagrama 5

La marca INT (interrogativo) obligaría a aplicar dos reglas transformacionales, una que moviera *qué* a la posición inicial, y otra que moviera la primera FN para detrás del V. Los dialectos de excepción mencionados se distinguen de la mayoría sólo en que la segunda transformación no se aplica si la primera FN es *tú* [5].

Esencialmente, entonces, las lenguas se distinguen unas de otras atendiendo a sus estructuras profundas. Los dialectos de una misma lengua tienen estructuras profundas idénticas, o casi idénticas, y se diferencian en el léxico y en las estructuras de superficie.

Por último, hay que evitar que la observación de las diferencias lleve a perder de vista las semejanzas. Los dialectólogos tienen que resaltar aquello que es distinto; pero si se observan dos dialectos en la totalidad de sus reglas y elementos se verá que en una enorme proporción de los casos la identidad domina. Además en todos los niveles, fuera del de léxico, es decir en la sintaxis y la fonología, los elementos y reglas que se diferencian están en correspondencia sistemática unos con otros. En ciertos dialectos el sonido representados por *s* tiende a no pronunciarse a final de palabra, en otros siempre se pronuncia. Las reglas que se discutieron en relación con el diagrama 5 se aplican o no de una manera consistente. Las diferencias dialectales no son ni arbitrarias ni esporádicas: son predecibles; esto facilita la comprensión mutua.

1.7. Fronteras dialectales

Hasta aquí se ha hablado de los dialectos como si ocuparan una región perfectamente delimitada. En realidad el límite entre dos dialectos es difícil de determinar, y resulta casi imposible señalarlo con precisión absoluta.

Para señalar el límite entre dialectos se marcan en un mapa (atlas lingüístico) los lugares donde la investigación sobre el terreno (generalmente usando un cuestionario) comprueba que se manifiestan realizaciones diferentes que caracterizan a una u otra región. Los puntos extremos en que se da una forma que señala el límite de un hecho lingüístico cualquiera (léxico, fonológico o

5. Como en ejemplos anteriores, la explicación y el diagrama arbóreo se han simplificado extraordinariamente.

morfosintáctico) se le llama *isoglosa.* La frontera dialectal se sitúa donde se agrupa el mayor número de isoglosas.

El diagrama 6 ilustra lo anterior. Las isoglosas trazadas distintivamente, según se indica en el mismo diagrama, corresponden a tres elementos léxicos, *guineo* (por plátano), *macho* (por cerdo) y *vaina* (por persona desvergonzada); dos modos de pronunciar: ausencia de la llamada geminación [6] de *r* y *l* (que se realiza en la región colindante), y velarización de *rr* (pronunciarla como la *jota* en el norte de España); y un hecho morfológico, presencia de *voseo,* es decir uso de *vos* en vez de *tú* ('vos tenías' por 'tú tenías', por ejemplo).

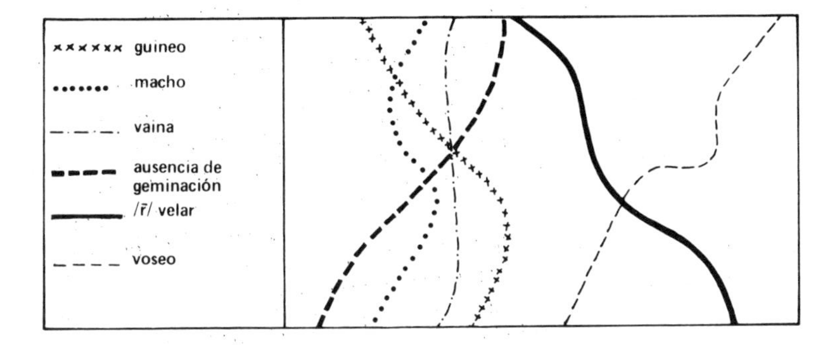

Diagrama 6

La frontera dialectal habrá que colocarla allí donde se agrupan las isoglosas correspondientes a *guineo, macho, vaina* y *ausencia de geminación;* las otras dos isoglosas están aisladas, y bastante lejanas del haz formado por las anteriores. El diagrama ilustra cómo la frontera dialectal carece de precisión, aunque el agrupamiento de isoglosas es claramente observable. La división que se haga entre las regiones no pasa de ser una aproximación conveniente y razonable a la situación real.

6. Geminación designa una situación donde un sonido se realiza no de manera característica, sino duplicando al que le sigue: es lo que ocurre, por ejemplo, al decir *canne* por *carne.*

1.8. Sociolingüística

La dialectología estudia la diversidad geográfica de la lengua; se fija en comunidades que se definen por el espacio que ocupan. Atendiendo a esto fue que se dijo antes que los dialectos podían representarse sobre una línea horizontal, aunque se hizo una concesión mínima a la verticalidad al plantearse la necesidad de considerar al menos los diferentes niveles de educación de los miembros de las comunidades dialectales.

Dentro de toda comunidad dialectal hay variedades de lenguas que deben mencionarse, aunque no se pase a estudiarlas, porque la investigación sobre dichas variedades no compete a la dialectología, sino a la sociolingüística. En cualquier grupo saltan a la vista antes que otras las diferencias biológicas, el sexo y la edad. El pertenecer a uno u otro sexo, o a una u otra edad determina diferencias en la lengua.

La clase o jerarquía social es otro factor que afecta a la lengua, produciendo variedades que caracterizan a cada clase, y sus miembros. Las profesiones, los oficios, la preferencia por determinadas actividades o diversiones, todas crean variedades de lengua que el individuo usa, por lo menos cuando está en contacto con otros miembros del grupo correspondiente. Un mismo individuo usará de una multiplicidad de estilos según las circunstancias en que se encuentre.

Por todo esto se dice que a la sociolingüística corresponde estudiar las variedades de lengua que dependen de quien hable, con quien hable, donde hable y de qué hable. Estudia las variedades socialmente determinadas, las normas que regulan el uso social de la lengua, las consecuencias de poseer una u otra variedad, así como lo que resulta de ignorar o violar las normas sociales de lengua.

Si la dialectología es horizontal y exige la consideración de diferencias regionales, la sociolingüística es esencialmente vertical, y las diferencias que considera existen dentro de una región. Son ciencias que estudian fenómenos de naturaleza disímil, pero están lo suficientemente relacionadas como para que estudiar una, exija por lo menos aludir a la otra.

CAPITULO II
Introducción a la fonología de la lengua castellana

I. GENERALIDADES

2.0. De la lengua castellana

La lengua castellana, en su origen la variedad del romance hispánico que se hablaba en el antiguo reino de Castilla, es hoy una red de dialectos históricamente emparentados y mutuamente inteligibles, con una vasta extensión geográfica. Además de ser el idioma oficial de España y de las dieciocho repúblicas hispanoamericanas, es la lengua materna de varios millones de habitantes de Estados Unidos y la segunda de muchos en todo el mundo [1].

1. El último censo de Estados Unidos efectuado en 1980 revela que viven en ese país cerca de 15 millones de ciudadanos 'hispánicos'. De éstos la gran mayoría hablan el castellano como lengua materna. El núcleo más grande es el de los mexicoamericanos residentes en los estados del Suroeste y en California, población que se nutre constantemente de la inmigración procedente de la vecina república mexicana. En la región sudoriental de la Florida viven cerca de un millón de cubanos. Aún más numerosos que los cubanos son los puertorriqueños, localizados principalmente en la zona metropolitana de la ciudad de Nueva York, que comprende también ciudades en el vecino estado de Nueva Jersey. La inmigración puertorriqueña es también constante. La población cubana de la Florida se ha incrementado últimamente debido al éxodo masivo que se produjo en la isla de Cuba en 1980. Prácticamente en todos los estados de la Unión residen 'hispánicos' y en todas las grandes zonas urbanas fuera de ls zonas ya mentadas hay núcleos significativos de castellanohablantes. En la pobla-

Los dialectos del castellano tienen en común un gran número de rasgos, sobre todo morfosintácticos, difiriendo principalmente en la pronunciación y el léxico. Pero las diferencias, aunque notables, no constituyen normalmente obstáculos insalvables a la comunicación entre castellanohablantes de distintas zonas, por muy disímiles que sean sus hablas.

Del castellano nos interesan principalmente tres modalidades (cf. Alarcos Llorach 1964), que son a su vez grupos de dialectos:

1) La modalidad peninsular centro-norteña (o del centro y norte de España peninsular), una de cuyas variedades es el castellano de Castilla actual. A su vez, una variedad idealizada de éste es considerada por muchos, especialmente en España, como el estándar normativo, pero hay estándares locales que divergen de ella, sobre todo en América. Muchos identifican ese castellano idealizado con la lengua en sí, relegando toda otra modalidad a la categoría de 'habla regional' o 'dialecto' entendido en su acepción peyorativa de lengua corrompida o subestándar.

2) La modalidad peninsular meridional o complejo dialectal andaluz, que en la forma que tenía en el siglo XVI influyó grandemente en el carácter de la modalidad que se formaba en el Nuevo Mundo.

3) La modalidad americana, o castellano de América, de la que nos ocupamos principalmente en este volumen.

2.1. Preliminares a una fonología de la lengua castellana

Antes de entrar en el estudio de la pronunciación del castellano de América, estimamos conveniente ofrecer a los lectores, especialmente a aquellos que se inician en los estudios de lingüística castellana una breve introducción a la fonología en general y a la fonología de la lengua castellana en particular. En ella se combinan las observaciones empíricas de estudios recientes con las muy valiosas de estudios tradicionales. En lo teórico-descriptivo hemos adoptado un modelo ecléctico que llamaremos *generativo-*

ción hispánica de Estados Unidos se cuentan también inmigrantes de los demás países hispanoamericanos y España.

El castellano se habla también en Filipinas y en las antiguas posesiones africanas de España.

variacional. En sus aspectos generativos no es tan abstracto como la fonología generativo-transformacional clásica de Chomsky y Halle (1968) ni tan concreto como la fonología generativo-natural de Hooper (1976) y otros [2]. Sin postular construcciones hipotéticas demasiado abstractas, creemos al mismo tiempo que la fonología no debe restringirse a formular generalizaciones en base enteramente a los hechos fonéticos observables. Los propios hablantes no están sometidos a tal restricción durante el proceso de adquisición de los principios comunicativos que les permiten hablar y entender a otros. Principalmente en el proceso de entender lo que se nos dice, pasamos muchas veces por alto las características físicas de los sonidos que integran las locuciones que escuchamos. Sonidos que son iguales se perciben como distintos, y sonidos que son distintos se perciben como iguales. Considérese el hecho común y corriente en las lenguas humanas de que una misma palabra puede pronunciarse de maneras muy distintas desde el punto de vista físico y sin embargo el oyente considera que en todos los casos se trata de la misma palabra con el mismo significado. El oyente, en efecto, haciendo caso omiso de las diferencias físicas, se remite siempre a la imagen mental invariable que tiene de esa palabra. Las disputas teóricas de la fonología actual tienen que ver mucho con las hipótesis sobre cómo están contenidas y representadas las palabras y los elementos que las componen (raíces, afijos) en la mente del hablante. Esas disputas no nos interesan aquí y no vamos a aducir evidencia en favor de una u otra posición teórica. Intentamos utilizar principalmente aquellas nociones sobre las que están de acuerdo en la actualidad la mayoría de los fonólogos que se desenvuelven en el campo general del generativismo, ya sean partidarios de un análisis más abstracto o más concreto. Creemos con la mayoría que la pronunciación (en su doble aspecto de producción de sonidos y percepción de los mismos) es una actividad de carácter mental o psicológico, y que los hablantes tienen de las locuciones representaciones mentales que contienen información de carácter fónico. Creemos además que éstas están relacionadas por medio de principios abstractos (las reglas de pronunciación) con las formas que el hablante pronuncia y escucha.

2. Para las diferencias entre la fonología generativo-transformacional y la fonología generativo-natural, v. Hooper 1976, Harris 1978, Guitart 1980 a.

Para los que no están familiarizados con la terminología especial que utilizan los fonólogos teóricos, aclaramos que por generativo se entiende 'especificativo, explícito'. En efecto, la fonología generativa se propone especificar del modo más explícito posible los hechos de la pronunciación, y ello a través de un modelo o representación hipotética de las relaciones entre lo mental (o fonológico) y lo físico (o fonético).

Nuestro modelo es también *variacional,* porque aceptamos ciertos postulados fundamentales de la fonología variacional desarrollada principalmente por William Labov, habiendo tenido muy en cuenta los hallazgos y observaciones teóricas de los variacionistas que se han desenvuelto en el campo de lo hispánico [3].

La diferencia entre generativismo y variacionismo es de foco. La preocupación fundamental de los generativistas es caracterizar o describir el conocimiento lingüístico abstracto que el usuario de una lengua tiene sobre la pronunciación, para lo cual suelen valerse de las observaciones empíricas hechas por otros. En cambio los variacionistas registran, analizan y cuantifican las variaciones de pronunciación que se producen en grupos de hablantes definidos en lo geográfico y social, y tratan de determinar la influencia que factores tanto lingüísticos (fonológicos, gramaticales) como extralingüísticos (sociales, estilísticos) tienen sobre esas variaciones. Además de contribuir a la lingüística en general (v. Guitart 1980b) y a la sociolingüística en particular, los estudios variacionistas han venido a ensanchar notablemente la investigación dialectológica. La cuantificación exacta del comportamiento fonético de números significativos de hablantes ofrece datos mucho más precisos y reveladores que las descripciones impresionísticas y meramente cualitativas de la pronunciación de unos pocos informantes, características de la dialectología tradicional.

2.2. Fonología y fonética

Por *fonología* en general entendemos la rama de la lingüística que teoriza sobre los principios que subyacen la pronunciación de las lenguas humanas consideradas en su conjunto. En tanto la fonología de una lengua en particular, en nuestro caso la castellana,

3. Véase principalmente López Morales 1979 b, Cedergren 1973, 1978, 1979; Terrell 1978, 1979, 1980; Poplack 1979 a, 1979 b.

es el estudio de la estructura fónica de esa lengua, es decir, de los sonidos que le son propios y de las relaciones que los organizan en sistema.

Parte integral de la fonología es *la fonética,* o ciencia del sonido del habla humana, que se divide en diversas ramas según de qué aspectos del habla se ocupe. *La fonética articulatoria* es el estudio de la producción —o *articulación,* su sinónimo— de los sonidos del habla. *La fonética acústica* estudia las características físicas del sonido (es en realidad una rama de la Física) y *la fonética perceptual* (que puede considerarse una rama de la Psicología) se ocupa de la recepción del habla.

De los aspectos acústicos y perceptuales del habla diremos mucho menos en estas páginas que de los articulatorios, siendo éstos mucho más accesibles a la observación empírica. Empezaremos por enfocar ciertas nociones fundamentales de fonética articulatoria que son el prólogo imprescindible a la descripción fonológica.

2.3. Producción de los sonidos del habla

El habla es una modificación a la respiración normal surgida en el curso de la evolución biológica. La respiración tiene dos fases, inspiración o toma de aire, y espiración o expulsión del aire. El habla ocurre durante una espiración más prolongada que la que se realiza cuando se guarda silencio. El aire sale de los pulmones por *los bronquios* que se unen en *la tráquea.* Esta se continúa en *la laringe,* especie de tubo corto y ancho, compuesto de cartílagos, músculos y tejido conjuntivo. La laringe contiene *las cuerdas vocales,* dos membranas musculares gemelas de carácter elástico, perpendiculares a las paredes del tubo, ligadas en lo anterior al *cartílago tiroides* (que presenta la protuberancia conocida como «nuez de Adán») y en lo posterior a dos cartílagos sumamente móviles, los *aritenoides.* Estos, en sus movimientos extremos juntan las cuerdas vocales a modo de labios, o las separan, dejando una abertura en forma de V. Esa abertura entre las cuerdas recibe el nombre de *glotis.* Se denomina *glotal* a todo fenómeno relacionado con las cuerdas vocales, dándose el nombre de *infraglotal* o *supraglotal* a la porción del aparato respiratorio que se halla respectivamente por debajo o por encima de esos órganos. Así los pulmones son parte de lo infraglotal y la boca de lo supraglotal. Directamente encima de la glotis se encuentra la *epiglotis,* cartílago que cubre automáticamente la glotis durante la ingestión, impidiendo así que los alimentos entren a la tráquea.

En la respiración callada, las cuerdas vocales están separadas, permitiendo el paso libre del aire por la glotis. En el habla, las cuerdas pueden juntarse y tensarse, y el aire que viene de los pulmones pasa entre ellas haciéndolas vibrar. La vibración característica de las cuerdas vocales recibe el nombre de *fonación* o simplemente *voz.*

2.4. El tono de la voz

El número de vibraciones por segundo que alcanzan las cuerdas vocales depende de la longitud y tensión de las mismas, tal como ocurre con las cuerdas de instrumentos musicales. El *tono* de la voz —fenómeno psicológico— es más alto (agudo) o más bajo (grave) según la mayor o menor frecuencia con que vibren las cuerdas vocales. Las variaciones de tono tienen importantes consecuencias comunicativas, como veremos al tratar del fenómeno de la entonación (v. cap. 3).

Se denomina *tono fundamental* a la frecuencia característica con que vibran las cuerdas vocales. Se trata siempre de una medida relativa; por ejemplo, el tono fundamental de la voz femenina es normalmente más alto que el de la masculina por ser las cuerdas vocales de las mujeres más cortas que las de los hombres.

2.5. Fonos sordos y sonoros

Conviene ahora presentar el término *fono,* que utilizaremos por el momento como sinónimo de 'sonido del habla'. Hay fonos en cuya articulación las cuerdas vocales no intervienen para nada. Son los llamados fonos *sordos,* p. ej. los representados por las letras *f* y *s* en la palabra *fase.* A los mismos se oponen los fonos *sonoros,* producidos con vibración de las cuerdas, como los representados por las letras *v* y *g* en la palabra *vago.* En la articulación de los fonos sordos las cuerdas vocales están separadas, pero no tanto como en la respiración normal.

2.6. El susurro

Una tercera posibilidad en cuanto a la configuración glotal ocurre en el susurro. Unidas en casi toda su extensión, las cuerdas vocales presentan una pequeña abertura triangular cerca de los aritenoides, y es esta disposición la que dota a la voz susurrada de su peculiar timbre.

2.7. Oclusión glotal, aspiración y murmullo

De gran interés son otros tres fenómenos glotales, denominados *oclusión glotal, aspiración* y *murmullo*. La oclusión glotal es un fono que se articula o abriendo o cerrando las cuerdas vocales una sola vez de manera abrupta resultando una leve explosión en el caso de abertura o una implosión en el cierre. Para representar la oclusión glotal (también llamada *oclusiva glotal)* se escoge el símbolo [ʔ], que como toda representación gráfica de un fono se coloca entre corchetes, siguiendo la práctica establecida entre los fonetistas.

La aspiración, simbolizada [h], es una fricción audible causada por el paso del aire espirado a través de la glotis. La fricción se origina al ser la abertura glotal mucho más reducida que en la espiración callada, pero las cuerdas en sí no vibran. Teniendo en cuenta esto último, algunos fonetistas equiparan la aspiración con la simple sordez.

En el murmullo, que se simboliza [ɦ], las cuerdas vocales vibran levemente al acercarse considerablemente en toda su extensión sin llegar nunca a unirse, distinguiéndose de lo que ocurre en la sonoridad, donde vimos que las cuerdas se juntan completamente. Algunos autores hablan de 'aspiración sonora' en vez de murmullo, lo que es una contradicción en términos si es que la aspiración equivale a la sordez. Sobre esto volveremos. Tanto la oclusión glotal como la aspiración y el murmullo se dan en determinadas circunstancias como variantes fonéticas en la pronunciación de ciertos dialectos hispanoamericanos, pero posponemos los ejemplos hasta entrar de lleno en la discusión de los fenómenos dialectales.

2.8. Articulaciones supraglotales

Los demás fonos se producen principalmente en las cavidades supraglotales, aunque serán sordos o sonoros, según la actividad supraglotal vaya acompañada o no de vibración de las cuerdas vocales.

En primer lugar, por encima de la bifurcación entre la tráquea y el esófago (tubo que va al estómago y que no interviene en la fonación) se halla la *faringe,* cavidad formada por las paredes de la garganta y la raíz de la lengua. En algunas lenguas se producen fonos *faríngeos* al constreñirse esta cavidad y presentar fricción al paso del aire, o al acercarse la raíz de la lengua a las paredes, creándose igualmente una constricción que imparte cierta turbulencia al aire espirado. Se piensa que en la aspiración vibran también las paredes de la faringe, por lo que algunos autores se refieren a [h] como un fono faríngeo en vez de glotal. El fenómeno está muy poco estudiado hasta el momento. Baste decir que los castellanohablantes no distinguen desde el punto de vista psicológico entre fonos faríngeos y glotales, lo que sí ocurre en otras lenguas, e. gr., el árabe.

La mayoría de los fonos se articulan en la boca o *cavidad bucal,* interviniendo también en algunos la *cavidad nasal.*

2.9. Articuladores móviles

El diferente timbre de los fonos articulados en la cavidad bucal se obtiene al modificarse la forma de la misma por la acción de tres *articuladores móviles,* que son el *maxilar inferior,* los *labios* y la *lengua.* La acción del maxilar inferior provee diversos grados de abertura o cerrazón de la boca; los labios pueden abocinarse (redondearse) o estirarse igualmente en diversos grados, contribuyendo así a extender o reducir la capacidad total de la boca; y la lengua, órgano de gran movilidad, puede adoptar un extenso número de posiciones dentro de la cavidad bucal, creando en efecto subcavidades que vibran con frecuencias secundarias o *sobretonos* característicos, lo que juega un papel fundamental en la determinación por el oyente del timbre de cada fono.

Un cuarto articulador móvil lo es el velo del paladar o simplemente *velo,* que termina en la *úvula* o campanilla. El velo puede alzarse y adherirse a la pared faríngea, o puede descender, despegándose de la misma. En la respiración en silencio, el velo está despegado de la faringe y el aire puede salir o entrar libremente por la nariz.

2.10. Fonos orales y nasales

Si se alza el velo durante el habla, se impide que el aire espirado pase a la cavidad nasal, saliendo únicamente por la boca. Los fonos producidos con el velo alzado se denominan *orales*. En cambio son fonos *nasales* aquellos que se articulan con el velo descendido; el aire pasa a la cavidad nasal y la hace vibrar, dando lugar al timbre característico de esa clase de fonos.

En los fonos nasales la corriente espirada puede salir exclusivamente por la nariz o salir además por la boca. Es nasal, por ejemplo, el fono con que empieza la palabra *mesa*.

2.11. Fonos consonánticos y vocálicos

Hemos visto que los fonos pueden clasificarse como sordos o sonoros según el comportamiento de las cuerdas vocales, y como orales o nasales atendiendo a la acción del velo. Otra gran dicotonía es la que divide todos los fonos en *consonánticos* y *vocálicos*. Son consonánticos los fonos cuya articulación comprende un obstáculo —ya parcial, ya total— al paso del aire espirado. Por el contrario son vocálicos aquellos fonos en cuya articulación no hay impedimento alguno a la corriente espirada.

2.12. Clasificación de los fonos consonánticos

En la fonética articulatoria los fonos consonánticos se clasifican atendiendo a dos criterios: el *punto de articulación* y el *modo de articulación,* o sea, dónde se articulan y cómo se articulan dichos fonos.

2.13. Principales puntos de articulación

El punto de articulación de un fono consonántico es la zona o región de la cavidad bucal donde tiene lugar la constricción o modificación de la corriente espiratoria que lo caracteriza. En la mayoría de los fonos el punto es una de las zonas en que puede dividirse la parte superior de la cavidad bucal con referencia a los denominados *articuladores inmóviles,* que son los *dientes superiores,* la *cresta alveolar* (o protuberancia rugosa al tacto inmediatamente después de los dientes, llamada así por cubrir los alveolos o espacios donde van insertados aquéllos), el *paladar duro* o simplemente paladar (puede notarse al tacto que hay hueso detrás) y el velo o paladar blando, cuya función en la nasalidad ya vimos.

El obstáculo consonántico se produce al tocar o acercarse cierta porción de la lengua a una de esas zonas y la descripción de los fonos de esta clase puede hacerse más exacta mencionándose qué parte específica de la lengua interviene en su articulación. En la lengua pueden distinguirse el *ápice* o punta, la *lámina* o *corona,* el *mediodorso,* el *dorso* y la *raíz.* Si se aprientan los dientes y se coloca la punta de la lengua detrás de los incisivos inferiores, la lámina tocará la cresta alveolar, el mediodorso estará debajo del paladar y el dorso debajo del velo. En algunos sonidos de dialectos castellanos (v. infra) interviene la cara *inferior* de la lámina en vez de la superior.

Atendiendo al punto de articulación, los fonos consonánticos de la lengua castellana tomada en su totalidad pueden clasificarse como sigue:

a) *bilabiales,* si se unen o acercan los labios con cierto abocinamiento, como en la *p* de *piso* o la *b* de *sube;*

b) *labiodentales,* si el labio inferior toca el borde de los dientes superiores, como en la *fe* de *fase;*

c) *interdentales,* si el ápice de la lengua toca el borde de los dientes superiores, como en la pronunciación peninsular centronorteña de *c* en *César;*

d) *dentales,* si el ápice de la lengua toca o se acerca a la cara interior de los dientes superiores, como en la *t* de *Tomás* o la *d* de *Diana;*

e) *alveolares,* si la lengua toca o se acerca a la cresta alveolar, distinguiéndose entre ápicoalveolares (hechos con la punta de la lengua) y láminoalveolares (hechos con la lámina); la *s* de *Silvia* se pronuncia apical en Castilla y laminal en muchos dialectos americanos;

f) *retroflejos,* si la cara inferior de la lengua toca o se acerca a una zona que podría llamarse *posalveolar,* como en la pronunciación habanera de *r* en *importante* (seguimos aquí la posición de Ladefoged 1975 de considerar que la retroflexión es un punto, no un modo de articulación, en cuanto comprende una zona fija de la cavidad bucal);

g) *alveopalatales* (o *palatoalveolares),* si la lámina de la lengua toca la zona alveolar a la vez que el mediodorso toca la parte anterior del paladar o zona *prepalatal,* como en la *ch* de *choza;*

h) *palatales,* si el dorso de la lengua toca o se acerca al paladar, como en la *y* de *inyección* o de *mayo;*

i) *velares,* si el dorso de la lengua toca o se acerca al velo, como en la *c* de *casa* o la *g* de *pago;*

posvelares, si la parte más posterior del dorso toca o se acerca a la zona del velo cerca de la úvula, como en la pronunciación peninsular centro-norteña de *j* en *Julio;*

j) *faríngeos,* si se reduce el volumen de la faringe, tal vez al retraerse la raíz de la lengua. No está claro que esta sea una posibilidad articulatoria de los dialectos del castellano pero si así se pronunciara p. ej. *j* en algún dialecto no diferiría acústicamente de una *j* simplemente aspirada (esto es, pronunciada [h]);

k) *glotales,* si se producen por oclusión glotal o glotis estrechada; lo segundo es lo que ocurre cuando se «aspira» *s,* fenómeno frecuente en numerosos dialectos, tanto peninsulares como americanos.

2.14. Modos de articulación de los fonos consonánticos

Las dicotomías sonoridad-sordez y oralidad-nasalidad se incluyen, claro está, entre los modos de articulación. Ya se vio que la diferencia entre fonos consonánticos y vocálicos radica en la presencia o ausencia de un obstáculo. Aunque es verdad que todos los fonos consonánticos comprenden un obstáculo, en algunos de ellos se da también —al mismo tiempo o intermitentemente— paso libre del aire espirado. En la articulación de los fonos consonánticos nasales hay siempre un obstáculo en la cavidad bucal, p. ej. en la *m* de *madre* los labios están cerrados y en la *n* de *nota* la lengua, al adherirse a la cresta alveolar detiene igualmente el aire. Pero al mismo tiempo en los dos casos el aire sale libremente por la nariz. Los fonos nasales pertenecen a la clase de fonos *inobstruyentes* (también llamados *resonantes* o *sonorantes*), en cuya producción o no hay un obstáculo (todos los fonos vocálicos son inobstruyentes) o si lo hay, ocurre también paso libre del aire. Otros dos tipos de fonos inobstruyentes son los *laterales* y los *vibrantes.* En los fonos laterales, como su nombre lo indica, el aire se escapa por uno o ambos lados de la cavidad bucal, habiendo al mismo tiempo un obstáculo en el medio de la misma. Es lo que sucede en la articulación del fono representado por *l,* donde el obstáculo lo forma la lengua en contacto con la zona alveolar. Se denominan vibrantes los fonos en que se suceden una brevísima obstrucción y el paso libre del aire. Si esta secuencia de oclusión-paso libre ocurre una sola vez se habla de *vibrantes simples,* como el sonido representado por *r* en *pero,* y si ocurre varias veces, de *vibrantes múltiples*, como en la *r* de *roto* en la mayoría de los dialectos del castellano.

Se da el nombre de *líquidos* a los fonos consonánticos inobstruyentes orales (o sea, no nasales), es decir, al conjunto de laterales y vibrantes. Se trata de una categoría sumamente útil, pues en ciertos dialectos, como veremos, hay fenómenos que afectan por igual a determinados fonos vibrantes y laterales.

2.15. Fonos obstruyentes: oclusivos, fricativos y africados

Los fonos inobstruyentes contrastan como grupo con los *obstruyentes,* donde lo característico es precisamente la naturaleza de la obstrucción que se presenta al paso del aire. Los fonos obstruyentes se clasifican en:

a) *oclusivos,* si el obstáculo al paso del aire es total, como en la *p* de *perro;*

b) *fricativos* —también llamados *espirantes* o constrictivos—, si se crea una notable estrechez en algún punto de las cavidades fonadoras al aproximarse considerablemente un articulador a otro sin que el contacto sea total, y la fricción del aire al pasar por esa estrechez produce un ruido más o menos fuerte; los fonos fricativos pueden subclasificarse en *hendidos,* si la estrechez tiene forma de hendidura, como en la *f* de *fase,* y *acanalados,* si la estrechez tiene forma de canal, como en la *s* de *sala.* Otra subclasificación atiende al grado relativo de ruido producido por la fricción del aire, y se habla de fonos fricativos *estridentes,* donde el ruido es notable (p. ej. en la *s* de *subir),* e *inestridentes* en que el ruido es relativamente menor (p. ej. en la *g* de *pago);*

c) *africados,* si estableciéndose un obstáculo total como en los fonos oclusivos, el mismo se elimina a continuación gradualmente con la fricción característica de los fonos fricativos, realizándose tanto la oclusión como la fricción en el mismo punto de la cavidad bucal. De modo que los fonos africados presentan un momento oclusivo seguido de un momento fricativo. Es africado por ejemplo el sonido representado por *ch* en la escritura.

2.16. Modo de describirse los fonos consonánticos

Entrecruzando los criterios clasificatorios de modo y punto de articulación se logra una descripción exclusiva para cada fono consonántico. Por ejemplo, el sonido con que empieza la palabra *perro* es *oclusivo bilabial sordo* —el obstáculo es total, se produce con los labios, y las cuerdas vocales no vibran; ningún otro fono consonántico se articula precisamente así. Y el fono representado por *b* en *bubo* es *fricativo* bilabial *sonoro* —los labios están semiabiertos, constituyendo un obstáculo parcial que causa cierta fricción y las cuerdas vocales vibran; de nuevo, no hay otro fono que reúna precisamente esas características. Y el sonido inicial de *fuente* es *fricativo labiodental sordo:* el labio inferior toca el borde de los dientes superiores pero no en toda su extensión, quedando una diminuta hendidura por la que se escapa con fricción el aire, las cuerdas vocales no vibran; es el único fono así articulado.

2.17. Clasificación de los fonos vocálicos

En la fonética articulatoria tradicional los fonos vocálicos se clasifican atendiendo principalmente a dos criterios relativos a la posición de la lengua dentro de la cavidad bucal. En la producción de los fonos vocálicos la lengua puede avanzar o retroceder dentro de la boca, siguiendo un eje horizontal imaginario cuyo extremo anterior se encuentra bajo la región palatal y su extremo posterior bajo la región velar. Los fonos vocálicos pueden ser *anteriores, centrales* o *posteriores,* según sea la posición de la lengua a lo largo de ese eje. Puede asimismo la lengua ascender hacia el cielo de la boca o descender alejándose del mismo, siguiendo un eje vertical imaginario, clasificándose los fonos vocálicos en *altos, medios* o *bajos* según la altura relativa de la lengua. Pueden introducirse refinamientos en esa escala y distinguirse entre sonidos *mediobajos,* siendo estos últimos más bajos que los medios pero más altos que los bajos.

La altura es inversamente proporcional a la *abertura vocálica.* La boca se abre más a medida que la altura de la lengua disminuye: los fonos vocálicos altos son *cerrados* y los bajos son *abiertos,* siendo los otros de abertura media.

Otro criterio articulatorio se refiere al comportamiento de los labios: un fono vocálico es *redondeado* o *no redondeado,* según se redondeen o no los labios durante su articulación.

2.18. Modo de describirse los fonos vocálicos

Entrecruzándose esos tres criterios puede lograrse una descripción articulatoria exclusiva para cada fono vocálico. Así, p. ej., el fono representado por *a* en *harto* es *central, bajo y no redondeado* pero el representado por *o* en la misma palabra es *posterior, medio y redondeado.*

2.19. La segmentación de lo fónico

La persona que no sepa nada de fonética puede muy bien suponer que en la pronunciación de, p. ej., la palabra *claustro* se articula primero el fono representado por *c;* una vez que se articula del todo éste, se realiza entonces el representado por *l;* completado éste a su vez, se hace el simbolizado por *a,* y así sucesivamente hasta el final de la palabra. Los hechos físicos, sin embargo, desmienten esa suposición. El primer fono de *claustro* es dorsovelar —el dorso de la lengua se adhiere a la zona velar— y el segundo es ápicoalveolar —la punta de la lengua toca la cresta alveolar—. Pero ocurre que sin despegarse todavía el dorso de la región velar, comienza a lenvantarse la punta de la lengua hacia la región alveolar, y cuando el dorso se separa, ya está en contacto la punta con la otra región. De modo que podría decirse que sin haber terminado de pronunciar el primer sonido comenzamos a pronunciar ya el segundo; lo mismo sucede entre el segundo y el tercero: no hemos despegado todavía la punta de la lengua de la zona alveolar cuando ya tiene la boca la abertura que se requiere para la pronunciación del fono vocálico representado por *a.* Semejantes fenómenos se dan en el resto de la palabra y lo mismo si se combinan palabras en frases y se pronuncian éstas sin pausa. Los órganos articulatorios no se detienen; lo que en realidad tiene lugar desde el punto de vista físico es una serie ininterrupta de transiciones graduales de una posición articulatoria a otra.

Por otra parte no va muy descaminado el lego que insiste en que la palabra *claustro* tiene siete sonidos discontinuos y no un número ilimitado de posiciones intermedias entre *c* y *l, l* y *a,* etc. El fonólogo concuerda con él, pues sucede que la mente del hablante impone una *segmentación subjetiva al flujo fónico.* El oyente en efecto interpreta la sucesión ininterrumpida del material fónico como una serie de elementos discontinuos o *segmentos.* De ello es reflejo la *escritura alfabética* que se da en muchas lenguas, incluyendo la castellana, donde cada segmento se representa por una letra: *a, b, c,* etc., o combinaciones de letras: *ll, rr, ch,* etc. Igualmente se refleja el fenómeno en el *alfabeto fonético* que adopta el fonetista. Aunque este último sea mucho más preciso que el alfabeto ortográfico (v. a continuación), con ninguno de los dos se representan los sucesivos momentos articulatorios híbridos que realmente ocurren en la pronunciación. En contraste con el lego, sin embargo, el fonetista sabe que la identidad psicológica de un fono —el que se perciba como tal o cual segmento— no depende siempre de la posición estática de los órganos —como la hemos descrito en lo anterior para los fonos consonánticos y vocálicos—, sino que a veces depende precisamente de la naturaleza de la transición. Considérense las diferencias entre las palabras *apto* y *acto* en castellano. Al pronunciarse lo que se representa por *p* en la primera palabra se unen los labios sin ruido alguno, e igual sin ruido se une el dorso de la lengua a la región velar al pronunciarse en la segunda palabra lo representado por *c*. El que se perciban diferentes esos dos sonidos no depende ni de distintos ruidos consonánticos ni de la distinta disposición final de los órganos —que es inaudible—, sino del distinto movimiento de la lengua de una posición vocálica a otra consonántica. Existe inclusive clara evidencia proveniente de experimentos psicoacústicos de que la identificación de los fonos oclusivos iniciales de palabra depende, no del ruido producido al resolverse el obstáculo consonántico (por ejemplo al separarse los labios abruptamente en la pronunciación de *p* en *piso),* sino de la transición de los órganos articulatorios hacia la posición del fono vocálico subsecuente (v. Liberman, et al, 1967). Pero —insistimos— la mente del hablante, o mejor, del oyente, interpreta toda continuidad como una cadena de segmentos autónomos y discontinuos. Atendiendo a ese hecho es que suele utilizarse precisamente el término 'segmento' como sinónimo de sonido del habla desde el punto de vista perceptual, empleándose el término 'fono' principalmente para hablar de los sonidos desde el punto de vista fisiológico o de su articulación por los órganos fonadores, como hemos hecho en las páginas anteriores. Adaptaremos en adelante el término 'segmento' para referirnos a los sonidos del habla tanto desde el punto de vista perceptual como articulatorio, subrayando que se trata de una entidad psicológica, es decir, representa ya cierto grado de abstracción con respecto a los hechos físicos, aun en lo articulatorio, ya que, como veremos, al simbolizar los hechos de la producción del habla se ignoran por lo general las transiciones graduales que constituyen el flujo fónico.

2.20. El alfabeto fonético

Hasta ahora nos hemos referido a la pronunciación de los segmentos apoyándonos en la ortografía, y así hemos hablado por ejemplo del sonido 'representado por *c*' en *acto*. Pero la ortografía castellana, aunque bastante fonética, no lo es del todo. Sin ir más lejos, la letra *c* puede representar más de un segmento: compárese *casa* y *cesa;* en cambio el mismo segmento puede estar representado por letras diferentes, como en *cosa* y *queso.*

De modo que la ortografía es un reflejo bastante imperfecto de la pronunciación. El lingüista, al proponerse representar gráficamente los hechos fónicos —operación conocida con el nombre de *transcripción fonética*— emplea una clave mucho más exacta: un alfabeto fonético, en el que cada letra o grafía simboliza un solo segmento y siempre el mismo. Al alfabeto fonético se incorporan muchos de los símbolos del alfabeto ortográfico, como se verá.

No existe lamentablemente un alfabeto fonético único aceptado por todos los lingüistas. El que utilizamos aquí es de gran generalidad en la mayoría de sus símbolos.

Como ya adelantamos, la transcripción fonética de un segmento se escribe entre corchetes, y lo mismo la de una palabra o frase. Así, p. ej., la frase *come queso* se transcribe [kómekéso]. En ocasiones seguiremos la práctica de transcribir fonéticamente tan sólo un segmento o un grupo de segmentos dentro de una frase, expresando lo demás en ortografía corriente, e. gr., *come* [k]eso.

2.21. Transcripción amplia y transcripción estrecha

Los lingüistas suelen distinguir entre dos tipos de transcripción fonética: *transcripción amplia* y *transcripción estrecha,* siendo más estrecha una transcripción mientras más minuciosa sea, y más amplia mientras menos detalles contenga. Por ejemplo, en una transcripción estrecha de la palabra *tener,* se marcaría el hecho de que sus dos segmentos vocálicos, aunque muy similares, no son idénticos: en el primero la boca está más cerrada que en el segundo, transcribiéndose [e] el más cerrado y [ę] el más abierto. En cambio, en una transcripción más amplia podría pasarse por alto esa diferencia de abertura vocálica y representarse los dos como [e].

2.22. Distinción entre letra y sonido

El que se inicia en los estudios lingüísticos debe tener muy claro desde un principio que el fonetista no suele hablar en términos de cómo se pronuncian las letras (aunque pueda hacerlo en algunos casos, por ejemplo con el propósito de enseñar la pronunciación de una lengua a extranjeros). Para el fonetista, la lengua escrita, aunque de gran importancia, es secundaria y derivada de la lengua hablada. Lo que se pregunta el fonetista principalmente es cómo se pronuncian los segmentos, independientemente de su representación escrita. Existe en la fonética castellana cierta práctica, tal vez lamentable, que puede llevar al neófito a no hacer esa distinción esencial entre hablar de letras y hablar de segmentos, y es la de referirse a los segmentos consonánticos como '*las* consonantes', a los vocálicos como '*las* vocales', a los líquidos como '*las* líquidas', etc., cuando propiamente debería ser *los* consonantes, *los* vocales, *los* líquidos, etc. En lo que precede hemos evitado referirnos a las clases de sonidos en el femenino, precisamente para prevenir la confusión entre letra y segmento. En lo sucesivo, sin embargo, emplearemos los términos 'consonante' y 'vocal' por ser del uso general, respetando además la convención de flexionarlos en el femenino. Así por extensión diremos, por ejemplo, simplemente 'oclusivas', por 'consonantes oclusivas' queriendo decir 'segmentos consonánticos oclusivos', 'vocales altas' queriendo decir 'segmentos vocálicos altos' y 'una nasal' queriendo decir 'un segmento consonántico nasal', etc. Queda advertido el lector que con esos sustantivos femeninos nos referimos siempre a segmentos o clases de segmentos y nunca a letras o grafías. Para subrayar la distinción entre letra y segmento seguiremos invariablemente la práctica de poner lo fonético entre corchetes como lo hemos venido haciendo.

2.23. Organización psicológica de los segmentos

Haciendo uso de los criterios clasificatorios expuestos en páginas anteriores para consonantes y vocales, podríamos confeccionar un inventario fonético de la lengua castellana: una lista o relación de sus segmentos, en la que se diera para cada uno la descripción articulatoria que le es propia. La lista de las consonantes sería en parte como sigue:

[p], bilabial oclusiva sorda, como en la *p* de *peso;*

[b], bilabial oclusiva sonora, como en la *b* de *dame un beso;*

[φ], bilabial fricativa sorda, como en cierta pronunciación rápida y relajada de *flor,* que resulta [φlór], o en cierta pronunciación igualmente rápida y relajada de *esbozo,* que resulta [eφóso] (damos la pronunciación americana de la grafía *z);*

[β], bilabial fricativa sonora, como en la *b* de *ese beso* en el habla rápida y relajada;

[f], labiodental fricativa sorda, como en la *f* de *fruta.*

Tal inventario, sin embargo, no nos diría absolutamente nada sobre el modo en que los segmentos castellanos están organizados en sistema. Dicho sitema, como el de todas las lenguas naturales, está fundamentado en el hecho de que en el proceso de comunicación el hablante percibe como distintos ciertos segmentos que efectivamente lo son desde el punto de vista físico, pero al mismo tiempo, de una manera a todas luces arbitraria pero fija y regular y de la cual no está normalmente consciente, percibe como idénticos ciertos otros segmentos que son fonéticamente disímiles. Dicho de otro modo, el hablante establece subjetivamente semejanzas y diferencias entre los segmentos de su lengua, valorando ciertas distinciones y pasando por alto ciertas otras, ello de modo sistemático. Debe añadirse que el criterio de lo que es igual o distinto varía de lengua a lengua: cada lengua tiene su sistema propio de organización fonética, como se ilustrará dentro de un momento.

2.24. Fonemas y alófonos

Se da el nombre de *fonema* a la clase de sonidos fonéticamente disímiles que el hablante percibe como idénticos en la comunicación, empleándose el término *alófono* para referirse a un miembro de esa clase. Dos segmentos fonéticamente disímiles son alófonos del mismo fonema si a los efectos de la comunicación el hablante los considera idénticos, siendo en cambio alófonos de fonemas diferentes si el hablante utiliza el contraste fónico entre los mismos con propósitos comunicativos. Considérense, p. ej., las agrupaciones inconscientes que realiza el castellanohablante con algunas de las consonantes que relacionamos en la sección anterior. En castellano [p] y [β] pertenecen a dos fonemas distintos, que se simbolizan arbitrariamente /p/ y /b/ (los fonemas se escriben siempre entre rayas oblicuas). De ello es prueba el que en nuestra lengua [péso] y [βéso] signifiquen dos cosas diferentes. En cambio [β] y [b] son alófonos ambos de /b/. El castellanohablante sabe que [béso] en *dame un beso* y [βéso] en *ese beso* son la misma palabra con el mismo significado, no teniendo nunca conciencia además (a menos que sea lingüista) de que no la ha pronunciado igual en esos dos casos.

Resulta interesante ilustrar la naturaleza subjetiva y arbitraria de la organización fonemática de cada lengua. En varios dialectos de nuestra lengua (e. gr., el madrileño, el mexicano de Ciudad de México y otros) hay dos segmentos fricativos alveolares, uno sordo simbolizado [s] y otro sonoro, [z], que son alófonos de un mismo fonema /s/, apareciendo el sonoro delante de consonantes sonoras. Así la palabra *es* se pronuncia [és] en la frase *es así,* pero se pronuncia [éz] en *es mío.* En cambio en inglés [s] y [z] son alófonos de fonemas distintos, y palabras que difieren tan sólo en esos dos segmentos tienen significados diferentes, e. gr., [ráys] *rice* 'arroz' frente a [rláyz] *rise* 'levantarse'. Lo curioso es que la diferencia entre [s] y [z] no tiene realidad psicológica alguna para el castellanohablante monolingüe, quien efectivamente no oye la diferencia entre los miembros de ese par del inglés ni de ningún otro de esa lengua cuyos miembros difieran únicamente en esos dos segmentos. Otro ejemplo: en ciertos dialectos del quechua, lengua indígena del Perú, la vocal [e] existe únicamente como alófono de un fonema /i/, que tiene también un alófono [i]. El quechuahablante que está aprendiendo castellano es incapaz de distinguir en un principio entre las palabras *mesa* y *misa,* considerándolas de hecho como dos manifestaciones de la misma entidad. El contraste entre /i/ y /e/ sencillamente no existe para él.

Las disimilitudes fonemáticas que se registran de una lengua a otra demuestran además que la comunicación humana no se rige exclusivamente por las características físicas de los sonidos sino que es esencialmente un proceso subjetivo, de carácter mental o psicológico. Esto se ve también en el hecho de que dentro de una misma lengua el hablante puede, dependiendo del contexto, percibir el mismo sonido como dos fonemas distintos, y percibir además segmentos que su interlocutor no ha pronunciado. Por ejemplo, el castellanohablante percibe [φ] como /f/ en *flor* pero lo percibe como /-sb-/ en [eφóso] por *esbozo,* aunque su interlocutor no ha pronunciado [s] ni [b].

2.25. Representaciones subyacentes y representaciones patentes

El que los hablantes perciban las diferentes pronunciaciones de una misma palabra como manifestaciones de la misma entidad es un fenómeno de extraordinario interés para la fonología generativa. En el marco teórico que adoptamos aquí se postula que el hablante debe de tener una representación mental fija e invariable para cada elemento léxico de su lengua y que esa representación está precisamente en fonemas. Conviene advertir que cuando se llama 'mentales' a estas representaciones no quiere decirse qu el hablante las tenga en la conciencia y pueda examinarlas libremente; se trata, por el contrario, de configuraciones inconscientes, inaccesibles a la introspección. A las mismas se las suele denominar *representaciones subyacentes* porque se dice 'subyacen' a las *representaciones patentes,* también llamadas *representaciones fonéticas* (o *de superficie),* que están 'en alófonos' y que equivalen a las transcripciones que hace el fonetista. Las representaciones patentes o fonéticas incluyen en mayor o menor detalle (según la estrechez o amplitud de la transcripción) aquellas diferencias fónicas que el hablante pasa inconscientemente por alto. Las representaciones fonéticas son ya abstracciones —como lo son, recuérdese, las transcripciones del fonetista— pero son las que más se aproximan a la pronunciación. En cambio las representaciones subyacentes o fonemáticas son de carácter absolutamente hipotético y por tanto aún más abstractas. Ahora bien, e! lingüista al postularlas trata de basarse lo más posible en los hechos empíricos, como se verá.

Dicho de otro modo, el contenido fónico de las locuciones de una lengua, la pronunciación de esas locuciones, puede siempre analizarse en dos planos o niveles: un nivel subyacente o fonemático, de carácter hipotético pero de base empírica, y un nivel patente o fonético, de carácter más concreto, donde se registran en mayor o menor detalle los hechos observables.

2.26. Palabras y morfemas

Dentro del marco generativo vemos los fonemas no solamente como miembros de un sistema de contrastes fónicos sino también como partes integrales de aquellas unidades semánticamente invariables que son los elementos léxicos de una lengua. Ahora bien, la palabra no es la única entidad léxica que interesa al fonólogo generativo. En el análisis de la pronunciación se tiene en cuenta también al *morfema.* Se define éste como la mínima unidad léxica dotada de significado y/o función propios. Una palabra puede contener más de un morfema. Así la palabra *cubanos* se compone de cuatro morfemas: *cuba-,* relativo a ese país; *-n-,* 'proveniente de'; *-o-,* 'masculino'; y *-s,* 'plural'.

El interés de la fonología por lo morfemático radica en el hecho de que ciertos morfemas, en su carácter de tal, pueden pronunciarse de modos diversos atendiendo a su combinación con otros morfemas. Por ejemplo, el morfema verbal *con-,* raíz del verbo *contar,* se pronuncia distinto en CONT*amos* y CUENT*as,* y lo mismo sucede con el morfema nominal *medic-* en MÉDIC*o* y MEDIC*ina.* En la fonología generativa, como pronto veremos, se pretende dar cuenta de la diversa pronunciación tanto de las palabras como de los morfemas.

2.27. Reglas de pronunciación

Con el objeto de describir las diferentes pronunciaciones de un mismo elemento léxico se postulan en la fonología generativa ciertos procesos que aquí denominaremos *reglas de pronunciación,* que representan efectivamente la relación entre una forma subyacente y sus diversas manifestaciones patentes. Es preciso subrayar desde un principio que no se trata de reglas ortológicas sino de expresiones de regularidades que se dan en la pronunciación. Las reglas sirven para 'derivar' las representaciones patentes de las representaciones subyacentes. Dicho en forma metafórica, las reglas obran sobre las formas subyacentes y las 'transforman' en formas patentes o en formas intermedias o 'subpatentes' sobre las cuales obran otras reglas para dar finalmente formas patentes. Conviene aclarar que la fonología que aquí empleamos es neutral con respecto al hablante y al oyente, con lo que quiere decirse que las reglas ni son instrucciones dadas a los órganos fonadores ni son —leídas al revés las derivaciones— los pasos que se siguen en la percepción. Se trata, repetimos, de relaciones hipotéticas que se postulan para describir los hechos de la pronunciación.

2.28. Forma y función de las reglas de pronunciación

Las reglas de pronunciación suponen siempre un *contexto* o *entorno* de aplicación. La forma general de las reglas puede expresarse como sigue:

A → B/ C —— D

donde las letras representan segmentos fónicos o su ausencia, y donde A es el segmento el que se aplica la regla y B el resultado de la aplicación. La flecha equivale a 'se pronuncia' y la raya oblicua 'en el siguiente contexto'. La raya horizontal es A antes de la aplicación de la regla y B después. Las reglas pueden cumplir las siguientes funciones:

a) cambiar la naturaleza fónica de los segmentos, e. gr., la regla que 'sonoriza' /s/ delante de consonante sonora: /s/ → [z] / —— [consonante sonora].

En ese caso A es /s/, B es /z/, C no tiene valor alguno y D es el segmento sonoro cuya presencia dícese que 'desencadena' la aplicación de la regla;

b) añadir segmentos, fenómeno al que se da el nombre general de *epéntesis* o *inserción,* como ocurre, p. ej., en la forma verbal *merezco,* donde se inserta un segmento [k] entre la raíz y el sufijo verbal; en este caso A es la ausencia de segmento a lo que se denomina *cero fónico* y se representa 'Ø'; y B es [k]; en cuanto a C y D no representan segmentos en sí sino categorías morfemáticas específicas, pues [k] no se inserta en todas las raíces castellanas (compárese *merezco* y *mezo,* de *mecer);*

c) eliminar segmentos, a lo que se da el nombre general de *elisión,* como en la 'caída' de /d/ final en *verdá,* por *verdad,* en cuyo caso A es /d/ y B es Ø;

d) trasponer segmentos, fenómeno denominado *metátesis* o *transposición,* como en la pronunciación incultan *delen* por *denle.* Aquí puede decirse que A es /-nle/ y B es [-len].

El contexto de una regla de pronunciación no siempre es la presencia de determinados segmentos o morfemas colindantes. En muchas reglas se toma en cuenta la presencia de ciertas *lindes* abstractas que separan a los elementos léxicos. Por ejemplo, en la elisión de /d/ en *verdad,* el contexto de aplicación es la presencia de una *linde vocabular,* representada '#', que marca efectivamente donde termina esa palabra, y así lo que tiene lugar en *verdá* podría representarse '/d/ → ∅ —— # '.

A una forma determinada puede aplicarle más de una regla. Considérese la pronunciación [eφóso] por *esbozo,* ya citada. En este caso se han aplicado por lo menos tres reglas: una que elide /s/, otra que determina que /b/ se pronuncie fricativa ([β]) (v. infra) y una tercera que 'ensordece' la fricativa, resultando [φ].

2.29. Sobre la forma de las representaciones subyacentes

Tanto las representaciones subyacentes como las reglas que las relacionan con las representaciones patentes son, repetimos, entidades hipotéticas postuladas por el lingüista, quien se empeña sin embargo en fundamentarlas en lo empírico, si es que quiere describir e inclusive explicar los hechos de la pronunciación. Por ello las representaciones subyacentes no son puramente abstractas; por el contrario, se les otorga características fónicas. Así se dice, p. ej., que la representación de *mesa* tiene como segmento inicial el fonema nasal bilabial /m/, con lo que se hace referencia directa a la pronunciación. De la nasalidad se dice que es un *rasgo distintivo,* puesto que sirve efectivamente para distinguir por ejemplo entre *mesa* y *besa,* palabra ésta que empieza con un fonema, que siendo bilabial y sonoro como /m/, es sin embargo oral (o 'no nasal'). Como el vocablo *mesa* siempre se pronuncia con una bilabial nasal inicial, el representar fonemáticamente su primer segmento como /m/ está, como se ve, bien fundamentado en lo fonético. Hay casos sin embargo en que los hechos no dictan claramente cuál deba ser la identidad fónica de los segmentos subyacentes. Considérese la alternancia que existe entre [b] y [β] como alófonos de un mismo fonema /b/. Tal alternancia está al parecer grandemente influida por el contexto; así [b] tiende a aparecer después de pausa o nasal, e. gr., [b]*amos (vamos), am*[b]*os (ambos);* y [β] lo hace en los demás contextos, e. gr., *ya* [β]*amos, ca*[β]*le,* etc. Hablamos en términos de tendencias porque esta distribución no es absoluta, pudiendo p. ej. aparecer la oclusiva entre vocales y la fricativa en posición inicial, para dar solamente dos muestras. Además sobre la pronunciación de /b/ se registra considerable variación dialectal, como luego veremos.

En los dialectos en que predomina [b] después de pausa o nasal y [β] en los demás contextos, estas tendencias pueden muy bien deberse a una correlación directa entre el grado de oclusión y el grado de relajamiento relativo con que se pronuncia. A mayor relajamiento menor posibilidad de oclusión y viceversa. En esos dialectos se da normalmente por ejemplo mayor tensión articulatoria a principio de locución que entre vocales, de ahí que en esos dos contextos tiendan a aparecer la oclusiva y la fricativa respectivamente.

Considerando entonces que las reglas de pronunciación pueden modificar el contenido fónico de los segmentos, se plantean tres posibilidades teóricas con respecto a la representación de /b/ en los dialectos en que predomina esa alternancia contextual de sus alófonos:

a) /b/ es oclusivo pero se realiza fricativo en virtud de una regla de *fricativización* que se aplica en determinados contextos (e. gr., entre vocales);

b) /b/ es fricativo (debiéndose entonces representarse /β/) pero se realiza oclusivo en virtud de una regla de *oclusivización* que se aplica en determinados contextos (e. gr., después de nasal);

c) /b/ no es ni oclusivo ni fricativo a nivel fonemático, especificándose tan sólo como el fonema bilabial oral sonoro, existiendo una regla que determina el grado de oclusión según factores que unos contextos favorecen y otros inhiben.

Se pueden aducir argumentos a favor de cada una de esas tres posiciones teóricas, no pareciendo los datos existentes apoyar o refutar de modo concluyente ninguna de las tres. Aquí adoptamos la tercera posición por dos razones; una, es que el grupo de consonantes obstruyentes que se clasificarían como orales y sonoras a nivel fonemático parecen formar una clase natural; los miembros de esta clase son /b/, bilabial; /d/, dental; /y/, palatal y /g/, velar; y todos parecen sufrir un mismo proceso —a todos parece aplicarles una misma regla— que los hace tender a realizarse con oclusión después de pausa o nasal y sin oclusión en los demás contextos (los dos alófonos de /y/ presentan fricación pero el que tiende a aparecer después de pausa o nasal es africado y por tanto oclusivo también). La segunda razón es que la solución en que el segmento subyacente no es ni oclusivo ni fricativo puede aplicarse a todos los dialectos, incluyendo por igual aquellos en que aparecen realizaciones fricativas en contextos donde se esperan oclusivas y aquellos en que sucede lo opuesto. Resulta teoréticamente preferible tener las mismas o parecidas representaciones subyacentes para los distintos dialectos de una misma lengua cuando éstos son mutuamente inteligibles, como es el caso de los dialectos del castellano.

Otra posibilidad teórica, igualmente plausible, sería postular que en los dialectos en que predominan las realizaciones fricativas, la representación subyacente es /β/, de la cual se deriva [b] por oclusivización, mientras que en los dialectos en que predominan las realizaciones oclusivas, sucede exactamente lo contrario: /b/ es el segmento básico del cual se deriva [β] por fricativización, y lo mismo puede decirse de los otros fonemas obstruyentes orales sonoros (aunque en el caso de /y/ habría que hablar no de fricativización sino de 'desoclusivización').

De hecho, para todos los otros fonemas fuera de esa clase, adoptamos aquí, por parecernos intuitivamente lógico, el concepto de una forma básica a nivel fonemático, de la cual se derivan inclusive alófonos que difieren de la misma en algún rasgo distintivo. Por ejemplo /s/ se clasifica como el fonema fricativo alveolar *sordo,* a pesar de tener, como ya vimos, un alófono sonoro, [z] delante de consonantes sonoras. Sucede sin embargo que este último no tiene la exclusividad de ese contexto: en el mismo puede aparecer también [s], especialmente en el habla más lenta y/o más tensa (v. infra).

En los dialectos en que /s/ se 'aspira', el representante del fonema puede ser la fricativa glotal [h], no habiendo en esa realización, claro está, rastro alguno de la alveolaridad que es parte de la identidad de /s/. La palabra *es,* p. ej., se pronuncia con frecuencia [éh] en esas hablas pero a los castellanohablantes que aspiran /s/ (y que no están iniciados en la fonética) les parece haber pronunciado (u oído) [és] cuando lo que han dicho (o se les ha dicho) es [éh].

Puede decirse que en la percepción del habla el hablante se remite directamente a lo subyacente, desdeñando diferencias alofónicas que algunas veces son muy grandes. El hablante oye fonemas, no alófonos, o mejor, oye las representaciones subyacentes integradas por esos fonemas, percibiéndolas como todos semánticos.

2.30. Dos tipos de reglas

Como indicamos anteriormente, en el esquema generativo se pretende dar cuenta no sólo de las diferentes pronunciaciones de una palabra sino también de un morfema. Con este propósito se postulan dos tipos diferentes de reglas de pronunciación: *reglas morfofonemáticas* y *reglas fonológicas.*

Las reglas morfofonemáticas se caracterizan por ser especiales en vez de generales: se aplican a determinados segmentos únicamente dentro de ciertas clases de morfemas. Por ejemplo una regla morfofonemática da cuenta de alternancia entre vocal simple y diptongo en los radicales de ciertos verbos castellanos. En esos verbos la vocal simple es *e* u *o* y los diptongos son respectivamente *ie* y *ue.* Los diptongos aparecen cuando el radical está acentuado (cuando recibe el acento prosódico) y las vocales cuando el acento cae en la desinencia, e. gr., PIENS*an* vs. PENS*amos,* CUENT*an* vs. CONT*amos,* etc. Pero el fenómeno no ocurre en muchos otros verbos que tienen *e* y *o* en la raíz, e. gr., *besar, comer* —no se dan **biesan, *cuemen* (el asterisco marca siempre formas inexistentes que los hablantes no aceptan como nativas).

Desde el punto de vista puramente fonético no hay diferencia alguna entre, p. ej. la *o* de *contar,* que 'diptonga', y la *o* de *cobrar,* que no lo hace. Si describiésemos la *o* de *contar* como distinta en lo fónico de la de *cobrar* a nivel subyacente, lo estaríamos haciendo arbitrariamente. Tenemos que describir la alternancia entonces en términos abstractos, de carácter gramatical, no fónico.

Sobre la forma que ha de adoptar tal descripción se han producido considerables controversias entre los fonólogos; no creemos útil sintetizar aquí los argumentos esgrimidos a favor de una u otra posición (cf. Hooper 1976 vs. Harris 1978). Baste decir que en toda teoría fonológica que pretenda dar cuenta de todos los hechos de la pronunciación castellana hay que marcar de algún modo el diferente comportamiento de /e/ y /o/ en las raíces verbales.

2.31. De las reglas fonológicas

Las reglas fonológicas se distinguen de las morfofonemáticas por ser generales y por expresarse en términos de diferencias fónicas. Las reglas fonológicas se aplican a clases de segmentos sin atender a la composición morfemática de las palabras que los contienen. Por ejemplo la regla que determina que /b/ se pronuncie a veces fricativa y a veces oclusiva se aplica también a las otras consonantes orales sonoras, no importando dentro de qué tipo de morfema se encuentren. La regla que sonoriza /s/ delante de consonantes sonoras se aplica a toda /s/, ya sea este segmento parte integral de un morfema, como en *mes,* o el morfema de pluralidad como en *libros,* o el morfema de segunda persona de singular como en *vuelves,* etc.

2.32. Reglas categóricas y reglas variables

De gran importancia tanto para la fonología como para la dialectología es la clasificación que se hace de las reglas atendiendo a su frecuencia de aplicación, y que las divide en *reglas categóricas* y *reglas variables.* Las reglas categóricas no conocen excepciones: se aplican en el cien por ciento de los casos. Un hablante que ha completado la adquisición de su lengua materna muestra normalmente aplicación categórica de las reglas morfofonemáticas. Los castellanohablantes no alternan entre *piensan* y **pensan* para la tercera persona plural de *pensar* (pudiendo encontrarse sin embargo alternancias como ésa en el habla infantil o de aprendices extranjeros). La regla que rige la alternancia vocal-diptongo se aplica invariablemente. En cambio se ha descubierto empíricamente que un gran número de reglas fonológicas son de carácter variable. Ya hablamos de que las consonantes orales sonoras no son invariablemente fricativas entre vocales ni invariablemente oclusivas después de pausa ò nasal. La regla que caracteriza ese fenómeno es una regla variable. Es también variable, p. ej., la regla de aspiración de /s/: la palabra *los* puede pronunciarse lo mismo [loh] que [los] en los dialectos que aspiran ese segmento.

En la fonología castellana prelaboviana (es Labov quien desarrolla el concepto de regla variable; v. especialmente Labov 1972), sobre todo en textos de castellano para extranjeros, suelen presentarse como categóricas en el habla culta reglas que en realidad son variables, aun entre hablantes instruidos, como la que determina p. ej. el grado de oclusión en los segmentos obstruyentes orales sonoros. Ello, que tal vez sea útil desde el punto de vista pedagógico, oscurece sin embargo los hechos.

Es prácticamente imposible probar con absoluta certeza que una regla fonológica determinada es categórica. Bastaría con encontrar un solo ejemplo de implicación para declararla variable. Tal vez todas las reglas fonológicas sean variables, si por variabilidad se entiende la alternancia entre aplicación e inaplicación dado un mismo contexto fónico. Definida en esos términos la variabilidad parece ser una característica fundamental de la pronunciación de las lenguas humanas.

La frecuencia de aplicación de una regla variable puede calcularse de modo exacto contándose las apariciones en un contexto determinado de los alófonos que son el resultado de la aplicación (o las apariciones de ∅ si la regla es de elisión). Como tendremos luego oportunidad de ver, en el campo de la dialectología castellana se han efectuado estudios cuantitativos de la variabilidad de ciertos fenómenos, obteniéndose datos de gran importancia para la descripción dialectal.

2.33. Estilos de habla

Tanto para el análisis fonológico como para la descripción dialectal resulta imprescindible apelar al concepto de *estilo de habla,* que es el modo determinado de pronunciar según ciertas condiciones. En la acepción normal del término, esas condiciones se refieren a un contexto o situación social, observándose, p. ej., que un profesor no habla igual entre amigos en un bar que al dictar una conferencia. Aquí queremos ampliar el término para cubrir los casos en que estas condiciones son de carácter puramente fónico, es decir, relacionadas con la articulación del habla en sí. Diremos entonces que el estilo puede describirse lo mismo en base a criterios extrafónicos que en base a criterios puramente fónicos.

Entre los criterios extrafónicos pueden citarse la intención del hablante, el grado de instrucción que ha alcanzado, el grado de conciencia que tiene sobre su propia pronunciación, la relación que tiene con sus interlocutores, el contexto social y el tópico de conversación. Atendiendo a esos criterios se distingue entre *habla enfática* y *habla normal, habla culta* y *habla vulgar, habla cuidada* y *habla descuidada, habla formal* y *habla informal.* La mayoría de esas distinciones, sobre todo las de carácter sociológico, atañen a la sociolingüística, disciplina que ve siempre la pronunciación en su matriz social o psicosocial.

De los criterios, puramente fónicos, nos interesan principalmente dos que se refieren directamente a aspectos físicos de la articulación, y que son la velocidad del habla y el grado de tensión articulatoria. Atendiendo al primero suele distinguirse entre *habla lenta* y *habla rápida;* atendiendo al segundo se habla de pronunciación más o menos tensa o de pronunciación más o menos relajada. El habla se compone de momentos de tensión y momentos de relajamiento, habiendo posiciones en el decurso fónico que favorecen la tensión y posiciones que favorecen el relajamiento, como tendremos ocasión de apreciar más adelante. Pueden ocurrir además diversos grados de tensión o relajamiento en la producción de un mismo segmento y darse mayor tensión cuando se espera relajamiento o viceversa. A estas variaciones las denominaremos *estilos fónicos*, pudiendo hablarse de estilos fónicos más tensos o más laxos.

2.34. Del dominio de un estilo fónico

En los estilos definidos según criterios extrafónicos se da por sentado que su dominio es la locución o enunciado, o inclusive el diálogo o la comunicación entre varias personas. En cambio el dominio de un estilo fónico puede ser el segmento, con lo que quiere decirse que dentro de una misma palabra puede pasarse de un estilo más tenso a otro más laxo y viceversa tantas veces como segmentos haya. Y así en una conversación que se define como informal por el tópico pueden alternarse episodios de habla más tensa y más laxa que coincidan en su duración con los segmentos. Sirva el ejemplo para combatir la suposición de que el habla informal es relajada en su totalidad desde el punto de vista fónico.

2.35. Relación entre la velocidad del habla y el grado de tensión articulatoria

Existe al parecer una íntima correlación entre el grado de tensión articulatoria y la velocidad con que se habla, en el sentido de que normalmente la pronunciación más laxa es también más rápida, y la pronunciación más tensa es más lenta.

Podemos definir los estilos más laxos como aquellos en que los diferentes gestos articulatorios asociados a cada segmento se sustituyen por otros más simples, o sencillamente no se realizan, hasta el extremo de que en la máxima lasitud no se realiza ninguno de ellos, dejando de pronunciarse el segmento y diciendo el lingüista que dicho segmento se ha elidido o que se ha realizado como ∅. La relación entre rapidez y relajamiento se entiende entonces, puesto que hacer gestos más simples o no hacer ninguno toma lógicamente menos tiempo; y a la inversa, si se considera que la rapidez es la causa y la lasitud la consecuencia, puede muy bien suponerse que al disponer el hablante de menos tiempo para cada segmento, tiende a simplificarlo o a no pronunciarlo.

La correlación entre rapidez y relajamiento no es absoluta. Es posible hablar a la vez lenta y relajadamente, como cuando se experimenta un gran cansancio. Más difícil resulta pronunciar con mayor tensión que la normal a una velocidad mayor que la normal, pero esto último suelen hacerlo, p. ej., los locutores de radio o televisión, a los que se les exige trasmitir noticias o anuncios con gran rapidez pero con absoluta claridad. Lo normal sin embargo, repetimos, es que se correspondan rapidez y relajamiento.

2.36. Velocidad del habla, tensión articulatoria y distanciamiento fónico

El grado de rapidez/lasitud tiene consecuencias fonológicas, puesto que normalmente a mayor rapidez/relajamiento, mayor es la distancia desde el punto de vista fónico entre una forma subyacente y su representación patente. Considérese, p. ej., lo que ocurre en dialectos en que /s/ puede aspirarse o elidirse a final de palabra. La palabra *los,* cuya forma subyacente es /los/ tiende a pronunciarse [los] en el habla lenta, [loh] en el habla rápidorrelajada y [lo] cuando se pronuncia a una velocidad y con un grado de relajamiento aún mayor.

Es preciso señalar que el distanciamiento fónico entre una forma subyacente y su representación patente puede ocurrir también cuando la tensión articulatoria es *mayor* de lo normal. Por ejemplo en el habla enfática, que tiende a ser más tensa, /b/, fonema sonoro, puede llegar a realizarse sordo delante de consonante sorda y así se escucha, e. gr., *a*[p]*surdo* por *absurdo.*

2.37. La variabilidad de las reglas y los estilos fónicos

El que una regla no se cumpla siempre dado un mismo contexto segmental no es más que la manifestación lingüística de la variación estilística de carácter fónico que suele tener lugar en la pronunciación de cualquier lengua. Las reglas que son expresiones de procesos de relajamiento, e. gr., la aspiración de /s/, se cumplen más en el habla más relajada, y aquellas que son expresiones de procesos de tensión, e. gr., la que acusa el ensordecimiento de /b/, se cumplen más en el habla más tensa.

2.38. Influencia de lo extrafónico sobre el estilo fónico

En el marco variacionista se tiene muy en cuenta la influencia que ciertos factores extrafónicos ejercen sobre el estilo fónico y, por ende, sobre la variabilidad de aplicación de las reglas. Se ha visto, p. ej., que la frecuencia con que aparece una variedad alofónica determinada se ve afectada por el grado de conciencia que tiene el hablante sobre su propia pronunciación: en el habla más cuidada tienden a darse menos ciertos procesos de relajamiento, apareciendo menos las variantes más laxas de ciertos fonemas. El hablante puede también modificar conscientemente su pronunciación con el objeto de que se le identifique con un grupo determinado o para evitar la identificación con otro grupo. Por ejemplo, un hablante puede tratar de imitar la pronunciación de una clase social más prestigiosa, o evitar en su pronunciación elementos que están estigmatizados por ser característicos del habla de gente pobre o inculta. En los dos casos se altera la proporción en que aparecen las distintas variantes de un mismo segmento.

Es notable también la influencia que el conocimiento de la escritura ejerce sobre la variabilidad. En una lengua como la castellana, en que el código ortográfico se aproxima bastante al fonético, los hablantes cultos suelen tener en los estilos (extrafónicos) más influidos por la escritura (e. gr., en el habla académica) realizaciones que se apartan menos de las representaciones subyacentes. Muestran, p. ej., menos elisión de consonantes en esos estilos. Por el contrario, en el habla menos influida por la lengua escrita, e. gr., la conversación espontánea, los mismos hablantes suelen presentar formas patentes más alejadas de las subyacentes; eliden más, por ejemplo. En cambio, los hablantes analfabetos muestran formas más distanciadas de lo fonemático aun en el habla menos espontánea. Veremos ejemplos de ello en el análisis de la pronunciación americana en el capítulo siguiente.

II. DE LA ESTRUCTURA FONICA DE LA LENGUA CASTELLANA

2.39. Preliminares

Los dialectos castellanos se asemejan entre sí máximamente en la forma en que los hablantes organizan los segmentos en clases psicológicas. Todos los castellanohablantes comparten en lo fónico cierto juego de rasgos distintivos que los lleva a percibir en la gran mayoría de los casos las mismas semejanzas y diferencias entre dos segmentos cualesquiera. Por ejemplo todos los dialectos castellanos distinguen a nivel fonemático entre consonantes orales y nasales, y entre sordas y sonoras (contrastes que están ausentes de otras lenguas). En un plano más específico, todos los dialectos castellanos tienen tres fonemas nasales y únicamente tres, todos tienen a nivel psicológico una sola vibrante simple, una sola africada sorda, una sola vocal baja. Los ejemplos pueden multiplicarse. También se asemejan en lo que carecen: ninguno tiene contrapartes sonoras a los fonemas fricativos sordos /f/ y /s/, ninguno distingue perceptualmente entre oclusivas y fricativas dentro de la serie de obstruyentes sonoras (e. gr., [b] y [β] se 'oyen' como iguales), ninguno tiene vocales anteriores redondeadas. Igualmente los ejemplos pueden multiplicarse.

En términos generativos, los distintos dialectos del castellano tienen representaciones subyacentes idénticas o muy similares, comparten un gran número de reglas morfofonemáticas y fonológicas, incluyendo entre estas últimas principios comunes de acentuación y silabeo, y tienen el mismo inventario de fonemas vocálicos (v. infra).

En cuanto a sus diferencias, una de las principales en el plano fonemático tiene que ver con la presencia o ausencia de dos fonemas: el interdental fricativo sordo (q. v.) y el lateral palatal (q. v.). Ciertos dialectos tienen los dos, otros carecen de uno de los dos y otros carecen de ambos. Las diferencias más grandes se dan en el plano fonético y tienen que ver principalmente con las manifestaciones alofónicas de los segmentos consonánticos. Estas diferencias las analizamos en detalle en el capítulo siguiente con referencia al castellano americano.

2.40. De la intersección fonemática

Anteriormente hemos visto que la simple relación de los segmentos consonánticos castellanos descritos en términos articulatorios no nos diría nada en lo absoluto sobre la organización de los mismos en sistema. Más revelador resulta agruparlos en las clases psicológicas en que los colocan los hablantes. Esta clasificación, aunque de base fónica, no puede hacerse atendiendo exclusivamente a las características fonéticas observables de los segmentos:

es imposible descubrir los fonemas contrastando únicamente las características fónicas de sus posibles alófonos, y ello debido a que en la pronunciación es corriente que ocurra lo que aquí llamaremos *intersección fonemática.* Consiste en que al haber diferencias de rasgos distintivos entre un segmento subyacente y su representación patente (diferencias de las que se da cuenta a través de la postulación de reglas fonológicas) el segmento patente puede resultar idéntico al alófono de *otro* fonema. Con lo que resulta que un mismo tipo de alófono puede serlo de dos fonemas distintos. Ya hemos visto cómo en las pronunciaciones relajadas [φlór] y [eφóso], [φ] representa en el primer caso a /f/ y en el segundo a /b/. También hemos visto que en *a*[p]*surdo* [p] es alófono de /b/ aunque lo es por supuesto de /p/ en otras palabras. Los ejemplos que acabamos de repetir ilustran el hecho de que la intersección fonemática puede darse lo mismo en el habla relajada que en la anormalmente tensa.

2.41. Intersección fonemática y posición silábica en castellano

En la descripción del consonantismo castellano es imprescindible destacar que la pronunciación de las consonantes varía significativamente según la posición que tengan dentro de la sílaba. La sílaba castellana consta siempre de una vocal que constituye el *núcleo silábico.* El núcleo puede ir seguido o precedido de cierto número de consonantes o de otros segmentos que no siendo consonánticos se diferencian también de las vocales: son los sonidos tradicionalmente denominados 'semiconsonantes' y 'semivocales', de los que hablaremos muy pronto en detalle.

Una consonante está en posición *prenuclear* si aparece antes del núcleo y en posición *posnuclear* si lo sigue. Tanto el prenúcleo como el posnúcleo pueden estar constituidos por una o dos consonantes, nunca más de dos. Todas las consonantes castellanas pueden aparecer en el prenúcleo pero algunas no aparecen en posición posnuclear (v. infra). Unicamente /l/ o /r/ (q. v.) pueden aparecer como segundo elemento del prenúcleo y únicamente /s/ (q. v.) como segundo elemento del posnúcleo. Existen otras restricciones que luego examinaremos.

En igualdad de condiciones, la intersección fonemática se da más en el posnúcleo que en el prenúcleo. Esta diferencia tiene cierta base articulatoria. En castellano en general la pronunciación a final de sílaba es relativamente más relajada que en el prenúcleo y en vista de ello es que algunos fonetistas usan el término *distensión silábica* para referirse a la posición posnuclear y el de *tensión silábica* para denominar la posición prenuclear.

2.42. Del castellano descrito por Navarro Tomás

En su *Manual de pronunciación española,* publicado por vez primera en 1918 (y reeditado numerosas veces a lo largo de los años), Tomás Navarro Tomás analizó la pronunciación de una variedad del castellano peninsular centro-norteño considerada por él el estándar culto, caracterizándola de 'castellana sin vulgarismos' y 'culta sin afectación', queriendo decir con ello que en la misma no aparecían ciertos fenómenos de relajamiento característicos de otras variedades fuera de Castilla, ni tampoco ciertas deformaciones causadas por extremos de tensión articulatoria en el habla demasiado cuidada. En ese volumen reconoció implícitamente Navarro el carácter variable de la pronunciación; a pesar de que la intención de la obra es normativa, Navarro habla por lo general en términos de marcadas tendencias observadas en la pronunciación de personas educadas, y no de reglas inflexibles a cumplir.

Al dialecto descrito en esa obra lo llamaremos en adelante castellano-TNT (uniendo al gentilicio las iniciales del autor).

Numerosas personas cultas de España y sobre todo de América se apartan considerablemente en su pronunciación de la norma fijada en el Manual. De todos modos, el castellano-TNT no nos interesa como estándar normativo sino como útil punto de referencia para la comparación dialectal.

2.43. Preliminares a la descripció fonemática del castellano-TNT

El castellano-TNT, cuya pronunciación se aproxima lo más posible a la escritura, presenta el máximo número de fonemas consonánticos que pueda darse en cualquier variedad. Pasaremos a describir éstos, no sin antes observar que debido a la mayor posibilidad de intersección fonemática tanto en posición posnuclear como en los estilos fónicos extremadamente tensos o extremadamente relajados, conviene, al presentar los fonemas, dar primero únicamente los alófonos que aparecen en posición prenuclear y en un estilo fónico ideal donde no se registran grandes fluctuaciones de tensión articulatoria y no hay por tanto intersección fonemática, dejando para más tarde el análisis de las circunstancias en que tiene lugar este último fenómeno, con especial atención a la alofonía posnuclear.

A continuación relacionamos los fonemas del castellano-TNT, agrupándolos en clases definidas en términos de los rasgos distintivos que comparten a nivel subyacente en nuestro esquema teórico. Para cada fonema en particular ofrecemos el rasgo que los distingue de los demás de su clase y el símbolo con que se transcribe, dando además su representación ortográfica (abreviada *ort.)*. En algunos casos la clase consta de un solo fonema. Para cada fonema se relacionan sus alófonos prenucleares en el estilo ideal citado, dando el contexto en que cada alófono tiende a aparecer (precedido por el símbolo para ese alófono), subrayándose que se trata de tendencias (esto es, procesos variables) y no de apariciones categóricas. Para cada alófono se dan ejemplos en ortografía corriente de su aparición en palabras o frases. Si hay un solo alófono, este tiene los mismos rasgos del fonema y lo representa en todos los contextos prenucleares en el estilo citado. En la descripción de la alofonía de ciertos fonemas las siglas ELDCP abrevian la frase 'en los demás contextos prenucleares'.

2.44. Fonemas del castellano-TNT: alófonos prenucleares en un estilo sin intersección fonemática

I. Los fonemas oclusivos sordos

bilabial, /p/, ort. *p:* [p] *(pato, copa);*
dental, /t/, ort. *t:* [t] *(Tomás, mata, antes);*
velar, /k/, ort. *c* (ante *a, o, u), k, qu:* [k] *(casa, queso, kilómetro).*

II. Los fonemas obstruyentes orales sonoros

bilabial, /b/, ort. *b, v:* oclusivo [b] después de pausa o nasal *(Vamos, un beso);* fricativo [β] ELDCP *(ese beso, no vamos, hablar, alba, curva);*

dental, /d/, ort. *d:* oclusivo [d] después de pausa o nasal o /l/ *(Dámelo, un día, caldo, el domingo);* fricativo [δ] ELDCP *(ese día, arde, abdomen);*
palatal, /y/, ort. *y, hi:* africado [y̌] después de pausa o nasal o /l/ *(Ya, sin yeso, inyección, hielo, el hielo);* fricativo [y] ELDCP *(mayo, vino ya, de hielo);*
velar, /g/, ort. *g* ante *a, o, u:* oclusivo [g] después de pausa o nasal *(¿Gruñen?, sin garfios); fricativo* [γ] ELDCP *(No gruñas, hago, de garfios);*

III. Los fonemas fricativos sordos

labiodental, /f/, ort. *f:* [f] *(fase, zafa);*
interdental, /θ/, ort. *c* (ante *e, i) z:* [θ] *(zumo, César, dice, plaza);*
alveolar, /s/, ort. *s: [s] (Silvia, casa);*
velar /x/, ort. *j, g* (ante *e, i):* posvelar (uvular) [X] ante segmento vocálico retraído (q. v.), e. gr., /a, o, u/ *(jaspe, jota, junio);* prevelar [x'] ante segmento vocálico no retraído (q. v.), e. gr., /i, e/ *(jefe, giro).*

IV. El fonema africado palatoalveolar sordo

/č/, ort. *ch:* [č] *(choza, leche);*
[Este segmento es equivalente a la secuencia [t'š]; su momento oclusivo, [t'], no existe como segmento independiente (sería una oclusiva palatoalveolar); su fase fricativa, [š], existe como alófono de /č/ en ciertos dialectos americanos].

V. Los fonemas nasales

bilabial, /m/, ort. *m:* [m] *(madre, cama);*
alveolar, /n/, ort. *n:* [n] *(nariz, cana);*
palatal, /ñ/, ort. *ñ:* [ñ] *(ñame, caña);*

VI. Los fonemas laterales

alveolar /l/, ort. *l:* [l] *(lo, dale);*
palatal, /l̬/, ort. *ll:* [l̬] *(llave, calla);*

VII. Los fonemas vibrantes

alveolar simple, /r/, ort. *r:* [r]; aparece en lo prenuclear únicamente en interior de palabra, nunca como segmento inicial, pudiendo ser el primer o segundo elemento del prenúcleo *(para, brote)*

alveolar múltiple, /r̄/, ort. *rr* entre vocales, *r* en los demás casos: [r̄], aparece en lo prenuclear siempre como primer elemento, nunca como segundo *(perro, roba, Enrique, alrededor).*

2.45. Neutralización fonológica

Hay cinco fonemas consonánticos castellanos que no aparecen nunca en posición posnuclear; son los palatales /y/, /l̬/ y /ñ/, el palatoalveolar /č/ y el vibrante múltiple /r̄/. Aunque después del núcleo se registran a nivel fonético casos de [ñ], [l̬] y [r̄], se trata de intersección fonemática: los segmentos en cuestión son alófonos de /n/, /l/ y /r/ respectivamente (v. infra). La no aparición de un fonema en cierta posición da pie a lo que aquí denominamos *neutralización fonológica,* que puede definirse como la inexistencia del contraste entre dos fonemas cualesquiera en un contexto determinado a causa precisamente de que uno de ellos no aparece en tal contexto. En castellano no hay una palabra */uñ/ que contraste en significado con /un/ sencillamente porque /ñ/ no aparece en posición posnuclear. Por la misma razón no existe en los dialectos que tienen /l̬/ una palabra /el̬/ que signifique algo distinto a /el/. La neutralización fonológica tiene lugar también en posición prenuclear. La vibrante simple /r/ no aparece en esa posición y no hay por tanto una palabra */rosa/ que signifique algo distinto a /r̄osa/.

2.46. Neutralización fonética

Neutralización fonética en cambio es la desaparición del contraste fónico entre alófonos de distintos fonemas sin que se afecte el contraste entre estos últimos a nivel subyacente. Por ejemplo, como veremos luego con más detalle, hay dialectos en que /r/ se pronuncia variablemente [l] o [r] en posición posnuclear, de modo que *arma* puede pronunciarse [árma] o [álma], según el estilo fónico. En el habla más influida por la lengua escrita se dan más realizaciones vibrantes, por lo que puede suponerse que la forma invariable que subyace tanto las realizaciones con [r] como las con [l] contiene /r/. De ello es prueba el que un hablante al que se la dicho «Disparé un a[l]ma de fuego» perciba [álma] como [árma]: el contraste entre /alma/ y /arma/ no ha desaparecido. Conviene resaltar una vez más que los hablantes perciben mayormente las locuciones de la lengua en términos de las representaciones subyacentes, no de las patentes. Pueden registrarse sin embargo casos de ambigüedad. En un dialecto en que /l/ y /r/ se neutralizan fonéticamente en posición posnuclear la frase *no tiene a[l]ma* pronunciada en aislamiento podría interpretarse como sinónimo de «es un desalmado» o como sinónimo de «está desarmado». Por otra parte, ambigüedades como ésa son infrecuentes. Normalmente los hablantes perciben lo que el interlocutor quiso decir a pesar de la neutralización fonética, y es muy probable que suelan valerse para ello del contexto sintáctico-semántico. Así, p. ej., en la expresión *tengo muy mala sue[l]te,* el hablante sabe inconscientemente que no puede tratarse de la forma verbal *suelte,* la que normalmente no puede aparecer en ese contexto.

2.47. Pronunciación de las consonantes castellanas en posición posnuclear

Aun en los dialectos cuya pronunciación se acerca máximamente a la ortografía, como el castellano-TNT, se producen normalmente en posición posnuclear fenómenos que llevan al distanciamiento fónico entre los fonemas y sus representaciones patentes, ocasionándose en ciertas circunstancias intersección fonemática producida precisamente por la neutralización fonética.

En las hablas donde se da la neutralización fonética de /l/ y /r/ que acabamos de ilustrar, [l] es alófono tanto de /l/ como de /r/.

Los procesos que afectan la identidad patente de las consonantes castellanas en posición posnuclear pueden clasificarse en cuatro grandes tipos que se manifiestan de una forma u otra en todos los dialectos hispánicos y que se denominan *asimilación, fortalecimiento, debilitamiento* y *elisión*. Ilustraremos los cuatro con ejemplos del castellano-TNT.

2.48. Asimilación consonántica

En la asimilación la consonante posnuclear se 'asimila' o asemeja a la consonante que le sigue en el decurso fónico al adquirir al menos uno de sus rasgos articulatorios y en algunos casos adquiriéndolos todos, resultando lo que se denomina *geminación* o secuencia de dos consonantes idénticas. En el castellano-TNT se dan tres casos de asimilación que afectan respectivamente a los fonemas nasales, laterales y fricativos sordos, y que conviene describir en detalle.

2.49. Asimilación homorgánica de las nasales

En el castellano-TNT, y contadas excepciones, una consonante nasal posnuclear suele articularse en la conversación normal en el mismo punto de articulación oral que la consonante que le sigue: intervienen en las dos los mismos órganos de la articulación oral y en la misma disposición, de ahí el calificativo 'homorgánica'. El fenómeno puede darse lo mismo dentro de palabra que a través de linde vocabular (v. 2.27), o sea cuando la consonante que sigue está a principio de la palabra siguiente.

La asimilación de nasales da lugar a una rica alofonía que se ilustra a continuación con la realización de la preposición *sin* en diversas frases:

si[m] *problema,* nasal bilabial
si[m̭] *fotos,* nasal labiodental
si[ṇ] *cerillos,* nasal interdental
si[n̪] *tela,* nasal dental
si[n] *salir,* nasal alveolar
si[ǹ] *chorizo,* nasal palatoalveolar
si[ñ] *llamar,* nasal palatal
si[ŋ] *comer,* nasal velar

Como la misma palabra se pronuncia [sin] cuando va seguida de vocal en el mismo estilo, e. gr., *si*[n] *avisar,* se postula que la forma subyacente de la misma es /sin/, con lo que resulta que por efecto de la asimilación en, p. ej. *sin problema* y *sin llamar,* [m]y [ñ] son alófonos de /n/, en intersección fonemática, ya que, como hemos visto, en posición prenuclear son alófonos de /m/ y /ñ/ respectivamente.

Los demás alófonos nasales que aparecen en la lista anterior son también alófonos de /n/ en esos casos.

Pero el fonema /m/ también aparece en el posnúcleo, como se ve claramente en la pronunciación *hi*[m]*no* en los mismos estilos en que /n/ se asimila; la representación subyacente es /imno/. Nótese además que en ese caso /m/ no se asimila. No se trata, por otra parte, de un caso excepcional: compárese *amnesia, omnipotente,* etc., donde /m/ tampoco se asimila. Pero /n/ sí se asimila a /m/, p. ej. en *si*[m] *marca.*

Si hay una regla fonológica de asimilación nasal ésta parece aplicarse únicamente a /n/, no a /m/.

¿Cuál debe ser la representación subyacente de una palabra como *amparo:* /amparo/ con bilabial subyacente, o /amparo/ con alveolar que se asimilar por regla a /p/? Ciertos datos del castellano-TNT apoyan la segunda posibilidad. Según Navarro Tomás (1965: 88-89), cuando palabras como *amparo, emperador, comprar,* se silabean con lentitud, en vez de [m] se pronuncia [n]. Igualmente cuando una frase como *sin problema* se pronuncia con lentitud la asimilación no tiene lugar. Esto último sugiere que la regla de asimilación es variable y depende del estilo fónico, como ha observado Harris (1969).

2.50. Asimilación homorgánica de /l/

El fonema lateral alveolar /l/ se asimila en punto de articulación a las consonantes interdentales, dentales, alveolares y palatales, manteniendo sin embargo su alveolaridad frente a labiales, labiodentales y velares. Ilustramos el fenómeno con la pronunciación del artículo *el* en determinadas frases:

e[ḷ] *cisne,* lateral interdental
e[l̪] *dolor,* lateral dental
e[l̑] *sabio,* lateral alveolar
e[l̀] *chorizo,* lateral palatoalveolar
e[l̬] *yelmo,* lateral palatal

El comportamiento de /l/ frente a palatales da pie a intersección fonemática. En *el yelmo,* [l̬] es alófono de /l/, en posición prenuclear lo es de /l̬/ (como en [l̬áβe] por *llave).*

La asimilación de lateral es también un fenómeno variable. En el habla más lenta tiende a darse la alveolar aun delante de aquellas no alveolares cuya presencia provocaría el fenómeno en estilos más rápidos.

2.51. Asimilación de sonoridad

En el castellano-TNT los fonemas fricativos sordos que aparecen en posición posnuclear preconsonántica se representan a veces en lo patente por segmentos sonoros si es que sigue consonante sonora, e. gr.,*e*[*z*]*mero, ju*[*ẓ*]*gar, a*[*v*]*gano,* donde [z], [ẓ] y [v] son respectivamente la contraparte sonora de [s], [θ] y [f]. En esos casos no surge intersección fonemática al no existir en castellano los fonemas /z/, /ẓ/ y /v/.

2.52. Elisión

La elisión es el proceso que se traduce en la ausencia de representación patente para un segmento determinado. En el castellano-TNT se elide /s/ posnuclear delante de /r̄/, e. gr., [dór̄eyes] por *dos reyes,* [ir̄aél] por *Israel,* etc., manifestando Navarro Tomás que toda otra elisión de /s/ preconsonántica debe considerarse vulgarismo.

Hay otros casos de elisión posnuclear que el autor del Manual no tiene en concepto de inferioridad ortológica, e. gr., la omisión de /p/ de ciertas palabras *(suscritor, sétimo, setiembre)*y de /d/ al final de ciertos sustantivos (usté, Madrí, virtú, etc.).

2.53. Debilitamiento y fortalecimiento

De las consonantes castellanas en general dícese que se 'debilitan' en posición posnuclear, apareciendo en esta posición en el habla ordinaria los alófonos menos tensos. En efecto el grado de tensión con que se pronuncia una consonante es normalmete menor en posición posnuclear que en prenuclear. El fenómeno contrario del debilitamiento es el fortalecimiento: en el habla enfática o enérgica se realizan los alófonos más tensos.

En el castellano-TNT se observa para las consonantes obstruyentes bilabiales, dentales y velares una correlación entre el grado de tensión y el grado de oclusividad con que se pronuncian en posición posnuclear. Se da toda una gama de realizaciones que van desde la fuerte oclusión en el habla más tensa hasta la fricación más débil en el habla más relajada. Al mismo tiempo ocurre cierto grado de asimilación de sonoridad: las realizaciones fricativas se ensordecen hasta cierto punto en contacto con consonante sorda sin llegar a ser sordas del todo. Por ejemplo la pronunciación muy relajada de *eclipsar* es [ekliᵝ̥sár] donde el alzamiento del símbolo indica menor duración y menor tensión y [β̥] representa una fricativa bilabial laxa ensordecida (la variante sorda sería [φ]).

Las alternancias de oclusividad e inoclusividad se producen dentro de los mismos elementos léxicos, como se aprecia a continuación:

Habla tensa	*Habla relajada*
ecli[p]se	ecli[β̥]se
ri[t]mo	ri[ð̥]mo
se[k]ta	se[ɣ̥]ta

([ɣ̥] es la fricativa velar laxa ensordecida)

En el plano teórico cabe preguntarse si las formas subyacentes de *eclipse, ritmo* y *secta* contienen /p, t, k/ que se sonorizan y fricativizan en el habla relajada o contienen, por el contrario, /b, d, g/ que se ensordecen y realizan oclusivas en el habla tensa. En la gran mayoría de los casos los datos no apoyan decisivamente ninguna de esas dos alternativas y la postulación tiene que ser arbitraria. Esto último fue lo que hicimos en el ejemplo de la pronunciación *a*[p]*surdo,* donde con propósitos ilustrativos supusimos que la forma subyacente contenía /b/, oclusivizada por regla en el habla enfática. Es probable que en ello nos guiásemos inconscientemente por la ortografía. Es posible que los hablantes cultos construyan ciertas representaciones subyacentes bajo el influjo de la escritura; por ejemplo la de *apto* sería /apto/ y su pronunciación relajada [aβ̥to] se describiría por medio de la aplición de una regla de fricativización o *espirantización* (término este último preferido por algunos fonólogos (v., e. gr., Terrel 1980); recuérdese que las fricativas también se denominan espirantes).

Ya se considere subyacentes a /p, t, k/ o a /b, d, g/, las variaciones de tensión darán pie a intersección fonemática, puesto que en cualquiera de las dos alternativas, y considerando lo que ocurre en posición prenuclear, los mismos alófonos bilabiales, dentales y velares representarían a /p, t, k/ en un contexto silábico y en el otro a /b, d, g/.

Debe agregarse que el grado máximo de debilitamiento equivale por supuesto a la elisión.

2.54. Alteraciones consonánticas en posición prenuclear

Los procesos de fortalecimiento, debilitamiento y elisión se manifiestan también en posición prenuclear. Ejemplo de fortalecimiento es la pronunciación oclusiva de /b/ en posición intervocalica en el castellano-TNT que se da, según Navarro Tomás, «en casos de pronunciación especialmente enérgica» (1965: 85).

Ejemplo de debilitamiento es la pronunciación sumamente relajada de /d/ en la terminación de participio *-ado* que en muchos casos llega a la elisión, e. gr., [kansáðo] o [kansáo] por *cansado.*

Aunque el debilitamiento prenuclear no llega a ocasionar intersección fonemática en el castellano-TNT, sí lo hace en otros dialectos. En el habla rápidorrelajada de cubanos (v. Hammond 1976) /p, t, k/ llegan a pronunciarse sonoras entre vocales bajo el influjo de la sonoridad de éstas y al no darse la tensión necesaria para efectuar la oclusión sorda. Así pueden escucharse las pronunciaciones [sábo], [máda] y [págo] por *sapo, mata* y *Paco.* En el habla más tensa y lenta se dan las realizaciones oclusivas.

En cuanto a la asimilación, su manifestación posnuclear tiene a veces repercusiones en la consonante prenuclear subsiguiente. Así a la nasal asimilada tiende a seguir la variante no fricativa de las obstruyentes orales sonoras al mantenerse la oclusión que caracteriza a las nasales, de modo que la asimilación es bidireccional. En [ámbos], p. ej., la nasal es bilabial porque *b* es bilabial, pero a la vez /b/ se realiza con la misma oclusión que [m].

En la pronunciación [eφóso], por *esbozo,* que ya hemos visto, se combinan el debilitamiento posnuclear de /s/ reducido a una leve aspiración y la asimilación de [β̥] prenuclear a la sordez de la aspirada, resultando el equivalente sordo de la fricativa bilabial, esto es, [φ].

2.55. Las vocales castellanas

En la lengua castellana en general hay únicamente cinco fonemas vocálicos. La clasificación tradicional de los mismos, en la que se apela a los criterios ya vistos relativos a la posición de la lengua en el eje horizontal y vertical, puede expresarse como sigue

Altura de la lengua	*Posición de la lengua en el eje horizontal*				
	ANTERIOR		CENTRAL		POSTERIOR
ALTA	i				u
MEDIA		e		o	
BAJA			a		

Dentro de las anteriores /e/ lo es menos que /i/, y dentro de las posteriores /o/ lo es menos que /u/, como se observa en el diagrama.

Más reveladora nos parece la clasificación moderna basada en la teoría de los rasgos binarios adoptada por los generativistas, donde la identidad de un segmento a nivel subyacente depende tanto de poseer un rasgo articulatorio determinado como de *no* poseer otros. Por ejemplo el *no* ser consonántico es parte de la identidad de todo segmento vocálico y las vocales se clasifican como [— consonantes], donde el signo de *menos* equivale a 'no poseer el rasgo'; pero se clasifican también como [+ silábicas] o capaz de formar sílaba, donde el signo de *más* equivale a 'posee el rasgo'.

En el esquema binarista las vocales se distinguen unas de otras principalmente según rasgos referentes a los movimientos de la lengua con respecto a la llamada *posición neutral,* que en español equivale a la que ocupa dicho órgano en la articulación de [e]. Así un segmento es [+ alto] si en su producción la lengua se alza por encima de la posición neutral y es [— alto] si no se alza por encima de esa posición. Y un segmento es [+ bajo] si en su producción la lengua desciende por debajo de la posición neutral y [— bajo] si no desciende por debajo de esa posición. Claro está que cualquier segmento que sea [+ alto] será lógicamente [— bajo], y cualquiera que sea [+ bajo] será lógicamente [— alto], mientras que cualquier segmento que se realice con la lengua en la posición neutral se clasifica como [— alto, — bajo].

Por último, un segmento se clasifica como [+ retraído] (inglés 'back') si en su articulación la lengua *se retrae* de la posición neutral, o sea se mueve hacia la parte posterior de la cavidad bucal, siendo en cambio [— retraído] el segmento en cuya articulación la lengua no efectúa tal movimiento.

Un criterio clasificatorio adicional se refiere a la configuración de los labios, siendo [+ redondeados] los segmentos que se producen con redondeamiento o abocinamiento de los labios, y [— redondeados] los que no presentan tal redondeamiento o abocinamiento.

2.56. Clasificación binaria de las vocales castellanas

Los fonemas vocálicos del castellano pueden clasificarse entonces como sigue:

	i	e	a	o	u
alto	+	—	—	—	+
bajo	—	—	+	—	—
retraído	—	—	+	+	+
redondeado	—	—	—	+	+

2.57. Semiconsonantes y semivocales

Las vocales, como ya se dijo, son todas silábicas, es decir, capaces de constituir núcleo de sílaba. Hay otros segmentos que sin ser consonánticos —por no presentar ningún obstáculo significativo al paso del aire— no se consideran propiamente vocales, diferenciándose de éstas principalmente en dos aspectos. El primero tiene que ver con su articulación en sí. Estos sonidos, llamados tradicionalmente semiconsonantes y semivocales, son en realidad el equivalente acústico de un movimiento transicional de la lengua de una posición vocálica a otra. En la fonología inglesa los mismos reciben el nombre de 'glides', que puede traducirse *deslizadas,* refiriéndose a que la lengua 'se desliza' de una posición a otra. Las vocales en cambio se caracterizan por no ser transicionales sino 'estados' relativamente permanentes durante los cuales la lengua se mantiene en cierta posición.

La segunda diferencia es de carácter contextual: las deslizadas (adoptamos aquí el término) no pueden de por sí constituir núcleo de sílaba, apareciendo siempre en compañía de una vocal dentro de la misma sílaba, pudiendo anteceder a la vocal o seguirla. Lo que llamamos *diptongo* no es más que la secuencia tautosilábica (o sea dentro de una misma sílaba) de vocal más deslizada, o de deslizada más vocal.

En la fonética tradicional (e. gr., en Navarro Tomás 1965) se denominan semiconsonantes a las deslizadas altas que aparecen antes del núcleo, y *semivocales* a las deslizadas altas que aparecen después del núcleo, clasificándose (y simbolizándose) estos segmentos como sigue:

DESLIZADAS

	semiconsonante	*semivocal*
palatal	[j], como en *piano*	[i̯], o como en *Jaime, voy*
velar	[w], como en *cuando*	[u̯], como en *causa*

Tales distinciones son válidas en una transcripción fonética estrecha, porque efectivamente se trata de movimientos distintos; p. ej. en el diptongo de *piano* la lengua se mueve desde una posición que es más o menos la de [i] hacia la posición de [a], pero en *Jaime* el movimiento es al revés. Ahora bien, esas diferencias no tienen repercusiones fonológicas y en descripciones más modernas (v. p. ej. Dalbor 1980) se transcriben tanto la deslizada prenuclear como la posnuclear con los mismos símbolos, [i̯] y [u̯], práctica que seguiremos aquí.

La descripción (parcial) de [i̯] y [u̯] en rasgos binarios es como sigue:

	i̯	u̯
alto	+	+
retraído	—	+
silábico	—	—

De modo que dichos sonidos se diferencian de las vocales /i/ y /u/ por ser éstas silábicas y aquéllos asilábicos, y se diferencian entre sí por ser [u̯] retraído y no serlo [i̯].

En términos tradicionales [i̯] es la deslizada alta palatal y [u̯] la deslizada alta velar. Veremos en lo que sigue que no son las únicas deslizadas que aparecen en castellano.

Conviene agregar que lo que llamamos triptongo es una secuencia tautosilábica de deslizada más vocal más deslizada, como en *buey*, que se transcribe [bu̯éi̯].

2.58. SOBRE EL CARÁCTER FONEMÁTICO DE LAS DESLIZADAS

En la fonología castellana pregenerativa dominó siempre la opinión de que las deslizadas altas no eran más que alófonos o variantes posicionales de los fonemas vocálicos /i/ y /u/ (v. por ejemplo Alarcos Llorach 1965, Bowen, Stockwell y Martin 1965, Dalbor 1980). Aquí adoptamos la posición de que deben postularse deslizadas altas a nivel subyacente en algunos casos mientras que en otros [i̯] y [u̯] son efectivamente alófonos de /i/ y /u/. Por otra parte, como veremos en un momento, los fonemas deslizados pueden tener alófonos vocálicos.

La postulación de deslizadas a nivel subyacente se hace a base del distinto comportamiento acentual de ciertas formas verbales. En el enfoque generativo, y contrario a lo que se sostiene en ciertas direcciones teóricas pregenerativas (e. gr., la fonología praguense representada en Alarcos Llorach 1965 o la fonología estructuralista norteamericana representada en Bowen, Stockwell y Martin 1965), el acento primario o fuerte no es un fonema: las formas subyacentes no contienen acentos, siendo la acentuación un fenómeno de carácter automático que depende de la configuración interna de las palabras, incluyendo la composición de sus sílabas. Una regla fonológica de asignación acentual determina que se acentúen en la penúltima sílaba las palabras terminadas en vocal y en la última las palabras terminadas en consonante, marcándose especialmente ciertas sílabas de las palabras que no cumplen este principio general de modo que les aplique también la regla. Por ejemplo las palabras esdrújulas —todas excepcionales a dicho principio— reciben en una de sus sílabas una marca o *diacrítico* indicando que dicha sílaba no cuenta en el proceso acentual, con lo que la regla de acentuación coloca el acento en la antepenúltima que es por conteo la penúltima[4].

Considérense ahora los siguientes datos. El castellano presenta invariablemente acentuación paroxítona (llana o grave) para las

4. Aceptamos aquí el análisis generativista 'concreto' propuesto por Contreras (1977) que modifica al más abstracto de Harris (1969, 1975). Harris había considerado que los oxítonos terminados en consonante eran en realidad paroxítonos latentes terminados en /e/ abstracta, la que nunca se manifestaba en el singular, pero sí muchas veces en el plural. Así la representación fonemática de [papél] era /papele/, apocopándose /e/ más tarde por regla, la que por otra parte no se aplicaba cuando seguía /s/ plural, resultando la forma patente [papéles]. Contreras considera, en cambio, que /e/ de *papeles* es epentética y que la forma subyacente del singular es /papel/, la que resulta oxítona por terminar en consonante. Para Contreras son excepcionales formas como *lunes, tesis, etc.* y doblemente excepcionales formas como *análisis, síntesis,* etc., lo que se indica con diacríticos a nivel subyacente. También hay que marcar como excepciones formas como *papá, mamá, acá,* etc., que deberían ser paroxítonos.

formas regulares del presente de indicativo. En términos generativos, en esas formas la regla de asignación acentual coloca el acento fuerte o primario en el segundo segmento silábico empezando por el final. En ese caso la forma subyacente de *amplío* debe ser /amplio/, es decir, contiene el fonema vocálico /i/. Ahora bien, la forma subyacente de la primera persona singular del presente indicativo de *cambiar* debe ser /kambi̯o/ y no /kambio/, pues al aplicársele la regla de acentuación a esta última en el mismo estilo fónico en que aparece [am-plí-o] daría *[kam-bí-o]. En la aplicación correcta de la regla el segmento a la izquierda de /o/ no 'cuenta' como silábico porque no lo es, cayendo el acento sobre /a/, que es efectivamente el segundo segmento silábico empezando por el final. El argumento (que se debe originalmente a James W. Harris (1969)) puede extenderse a las formas no verbales, y así supondremos, por ejemplo, que la forma subyacente de *gentío* es /xentio/ pero la de patio es /pati̯o/, y que la de *garúa* es /garua/ pero la de *fatua* es /fatu̯a/.

2.59. Estructura acentual de las palabras castellanas

Antes de entrar en la alofonía de los fonemas vocálicos y deslizados es imprescindible examinar con cierto detalle el fenómeno de la acentuación. Denominaremos aquí *acentuación fonológica* (para diferenciarla de la *acentuación ortográfica)* a la relativa prominencia con que se pronuncian las sílabas de una palabra. Cualquier palabra pronunciada en aislamiento presenta una sílaba más prominente desde el punto de vista perceptual que las demás y que recibe el nombre de *sílaba tónica* o *acentuada.* Para algunos lingüistas la sílaba tónica es más perceptible porque al pronunciarse con mayor energía tiene mayor volumen acústico que las demás (v., e. gr., Navarro Tomás 1965, Dalbor 1980). Otros autores sostienen que la prominencia de la sílaba tónica le viene dada por los cambios tonales que tienen lugar durante su producción (v. especialmente Contreras 1963, 1964, y, en contra, Navarro Tomás 1964). La cuestión no está resuelta. Es posible que en ciertos casos la prominencia se deba enteramente a uno u otro factor —volumen o cambio tonal— y en otros casos a una combinación de los dos.

De la sílaba tónica se dice que recibe el acento *fuerte* o *primario.* Las demás sílabas, denominadas *átonas* o *inacentuadas* reciben todas menor relieve que la tónica, presentando entre sí sin embargo diferencias acústicas. En castellano puede hablarse de un *acento débil,* que es el que reciben en general las sílabas átonas, pero hay también al parecer un *acento secundario,* que media en perceptibilidad entre el fuerte y el débil. Por ejemplo en la palabra *panadero,* donde la sílaba tónica es *-de-,* la sílaba inicial *pa-,* que es menos perceptible que la tónica, es más perceptible sin embargo que en las otras dos sílabas átonas: *pa* recibe acento secundario y las otras dos acento débil.

En las transcripciones amplias, como las que practicamos aquí, no se marcan ni el acento secundario ni el débil, sólo el primario, lo que se hace con el tilde '´' como en la ortografía. Pero debe notarse que en las transcripciones fonéticas se marca el acento primario en todos los casos, aun aquellos en que por convención no se tilden las palabras en la escritura. Así las transcripciones de *casa* y *marfil* son [kása] y [marfíl]. Por otra parte, para significar que el acento no tiene categoría fonemática, no marcamos la acentuación a nivel subyacente, así, e. gr., /kasa/, /marfil/, etc.

2.60. Palabras tónicas y palabras átonas

Toda palabra pronunciada en aislamiento tiene al menos una sílaba tónica (algunas tienen dos, v. infra). En el habla normal no enfática, sin embargo, ciertos vocablos no reciben ningún acento fuerte. Estas *palabras átonas* se pronuncian unidas a las que sí reciben acento fuerte, o *palabras tónicas,* como si se tratase de una sola palabra más larga. Por ejemplo el posesivo *nuestra* es átono en la frase *nuestra hija,* teniendo ésta el mismo patrón acentual que la palabra *retahila* (es decir, penúltima sílaba tónica y las demás átonas). La 'acentualidad' de una palabra está parcialmente determinada por factores sintácticos. Son normalmente tónicos los sustantivos, adjetivos, verbos y adverbios, los pronombres subjetivos *(yo, tú, él, uno,* etc.) y pos-preposicionales (de *mí,* para *ti,* etc.), los artículos indefinidos *(un, una,* etc.), los demostrativos *(eso, esto,* etc.) y los posesivos pospuestos *(mío, tuyo,* etcétera). En cambio son átonos los artículos definidos *(el, la,* etcétera), las preposiciones *(ante, para,* etc.), las conjunciones, incluyendo las relativas y adverbiales *(y, o, pero, que, cuando, donde,* etcétera), los pronombres clíticos *(me, te, le, se,* etc.) y los posesivos antepuestos *(mi, tu, su,* etc.).

En términos teóricos puede decirse que en el estilo fónico característico del habla normal ciertas palabras no cuentan como tal a los efectos de la asignación acentual, teniendo en efecto carácter de clíticos.

Pero la asignación acentual, como muchos procesos fonológicos, es variable. Palabras normalmente átonas pueden pronunciarse tónicas al enfatizárselas. Y ciertas palabras tónicas pueden pronunciarse átonas en el habla relajada debido a procesos que hacen átona su sílaba tónica (v. infra).

Las palabras terminadas en el sufijo adverbial *-mente* pueden recibir dos acentos fuertes, uno en el sufijo y otro en la raíz; así *claramente* puede pronunciarse [klaraménte] o [kláraménte].

2.61. Acentuación y deslizamiento: carácter variable de los mismos

En la conversación normal, cuando una vocal alta —/i, u/— es átona débil y está al lado de otra vocal en el decurso fónico, pierde su carácter silábico y se realiza como deslizada, formando diptongo con la vocal que la sigue o la precede. Considérense los siguientes ejemplos:

A	B
[mi]*casa*	[mi̯a]*migo*
[tu]*casa*	[tu̯a]*migo*
[sin]*iniciativa*	[lai̯]*niciativa*
[gran]*unidad*	[lau̯]*nidad*

Dadas las pronunciaciones de la columna A, las representaciones subyacentes de *mi, tu, iniciativa* y *unidad* deben contener /i/ y /u/ (como único elemento vocálico las dos primeras y como segmento inicial las dos últimas) que se realizan deslizadas en las frases de la columna B por efecto de una *regla de deslizamiento.*

Si el contacto es con otra vocal átona débil, es normalmente la primera la que se desliza, e. gr., [miu̯]*niforme,* [tu̯in]*teligencia.*

El deslizamiento es un proceso variable y ello es consecuencia del carácter igualmente variable de la acentuación. Por ejemplo si se hace énfasis en el decurso fónico en palabras como *mi, tu, y,* etc., las mismas llegan a recibir acento fuerte al tratárselas como palabras y no como *clíticos* (o satélites acentuales de otras palabras) y la vocal de las mismas se pronuncia como tal —silábica— en vez de asilábica o deslizada, aun en contacto con otra vocal, e. gr., las pronunciaciones enfáticas [mí-er-má-no], [tú-er-má-no], [í-or-lán-do] por *mi hermano, tu hermano, y Orlando.*

Por otra parte, en el habla rápidorrelajada puede ocurrir que /i/ y /u/ tónicas en contacto con vocal no alta (es decir, /a/, /e/, /o/) se pronuncien deslizadas (esto es, átonas y asilábicas) y el acento fuerte aparezca en la vocal no alta aun cuando en el habla lenta fuera átona. Compárense las pronunciaciones *ru*[bí-o-]*riental, me*[nú-or]*ganizado,* [la-ín-]*dia,* [lo-ú]*nico* del habla lenta y esmerada con la de las mismas frases en el habla rápidorrelajada, sobre todo como parte de locuciones más largas: *ru*[bi̯ó-]*riental, me*[nu̯ór]*ganizado,* [lái̯n]*dia,* [lóu̯]*nico.* Puede postularse una *regla de desplazamiento acentual* cuya formulación sería como sigue: 'A cierto grado de velocidad y relajamiento del habla, el acento primario se desplaza de una vocal alta tónica a la vocal [— alta] átona con la que está en contacto, recibiendo la vocal alta acento débil'.

A la vocal alta átona débil resultante le aplica entonces la regla de deslizamiento, ya que está en contacto con otra vocal. En términos generativos la regla de desplazamiento acentual precede a la de deslizamiento en la derivación que lleva de la forma subyacente vocálica a la forma patente deslizada de los segmentos en cuestión. Por ejemplo la derivación de la pronunciación [akiéstá] por *aquí está* sería como sigue:

/aki esta/	nivel subyacente
akí está	asignación acentual
aki está	desplazamiento acentual
aki̯ está	deslizamiento
[aki̯éstá]	nivel patente

Otra manifestación del carácter variable de la acentuación y por ende del deslizamiento lo es el que en el habla relativamente más tensa y lenta /i/ y /u/ átonas en contacto con vocal tónica pueden pronunciarse silábicas en vez de deslizadas, tal vez por recibir acento secundario en vez de débil gracias a su proximidad con la vocal más prominente. En cambio, dados los mismos contextos segmentales pero una velocidad y relajamiento mayores se cumple entonces el deslizamiento. Compárense las siguientes pronunciaciones:

habla tenso-lenta	*habla rápidorrelajada*
[si-é]*lla quiere*	[si̯é]*lla quiere*
la tri[βu-é]sa viene	la tri[βu̯é]*sa viene*

Estas alternancias se dan también en interior de palabra, y así *diario* y *jesuíta* pueden pronunciarse [di-á-ri̯o] y [xe-su-í-ta] en el habla más tensa, y [di̯á-ri̯o] y [xe-su̯í-ta] en los estilos más relajados.

2.62. De lo que subyace a las deslizadas patentes

Dada la alternancia [xe-su-íta]-[xe-su̯í-ta] suponemos que la forma subyacente de esa palabra no contiene fonemas deslizados y que [u̯], que aparece en la realización rápidorrelajada, se deriva de /u/ por regla. Es decir, la forma subyacente es /xesuita/ y no /xesu̯ita/. Nótese sin embargo que en el mismo estilo en que se pronuncia *jesuíta* con hiato (es decir, con repartición heterosilábica o en distintas sílabas de sus segmentos no consonánticos contiguos), la palabra *diario* no presenta dos hiatos sino sólo uno: su segundo segmento alto se pronuncia deslizado. Podemos suponer entonces que *diario,* como *cambio, sitio,* etc., contiene a nivel subyacente el fonema /i̯/, deslizado, como penúltimo segmento, pero contiene también /i/, vocálico. Es decir, su representación subyacente es /diari̯o/.

La pronunciación variable de una forma, sobre todo en comparación con la de otras formas, puede servir para determinar su forma subyacente. Por ejemplo si en el mismo estilo relativamente más tenso en que *diario* se realiza [di-á-ri̯o], la palabra *piano* se pronuncia [pi̯á-no] y no [pi-á-no] suponemos que la representación subyacente es /piano/ con deslizada, ya que obviamente a su segmento alto no consonántico no se le aplica la regla que otorga acento secundario a las vocales altas en contacto con tónica en ese estilo.

2.63. Silabización de deslizadas subyacentes

Por supuesto que a una palabra como *cambio* no le ha aplicado la regla de deslizamiento: su deslizada patente representa una deslizada subyacente. Ahora bien, *cambio, mutuo* y otras palabras que contienen fonemas deslizados pueden pronunciarse con hiato, p. ej. en poesía, donde es un recurso bien conocido. Resultando [kám-bi-o], [mú-tu-o], etc. El fenómeno puede caracterizarse postulando una *regla de silabización de deslizadas* que se formularía como sigue: 'Un segmento asilábico adquiere carácter silábico si recibe un grado de acento más fuerte que el débil'. En [kám-bi-o] y [mú-tu-o] resulta entonces que [i, u], vocálicos, son alófonos de /i, u/, deslizados, como habíamos anticipado.

No debe sorprendernos el que un segmento asilábico se represente por uno silábico, y viceversa en el caso del deslizamiento, cuando hemos visto que, p. ej., una consonante sorda puede ser alófono de una sonora y viceversa; recuérdense los casos en que /s/ → [z] y /b/ → [p]. La representación de un segmento subyacente por uno patente de signo contrario con respecto a un rasgo distintivo —origen de la intersección fonemática— parece ser un fenómeno característico de la pronunciación de las lenguas humanas.

2.64. Deslizamiento de vocales medias

Los segmentos [i̯] y [u̯] no son las únicas deslizadas que aparecen a nivel patente en castellano. Las vocales medias átonas débiles pueden perder su carácter silábico en contacto con otras vocales medias y con la vocal baja /a/, resultando los alófonos [e̯] y [o̯]. Este fenómeno es uno de los casos de lo que en fonética tradicional se denomina *sinéresis* si tiene lugar dentro de palabra —como en [po̯e-ta] por *poeta*— y *sinalefa* si se produce a través de linde vocabular (es decir, de una palabra a otra —como en [pá-so̯a-pú-ros] por *paso apuros*. El fenómeno puede caracterizarse diciéndose que resulta de la aplicación de la regla de deslizamiento a las vocales medias. Se trata de un proceso variable que tiende a manifestarse más en los estilos más rápidorrelajados.

2.65. Reducción silábica

Al efecto de la regla de deslizamiento tanto sobre las vocales altas como sobre las medias podemos denominarlo *reducción silábica,* por reducirse efectivamente el número de sílabas que se pronunciarían en estilos más tensos y lentos.

La reducción silábica puede afectar a más de una vocal átona, ya sea media o alta. El caso extremo es la inclusión dentro de una misma sílaba patente de cinco segmentos no consonánticos, como en el ejemplo *Envidio a Eusebio,* citado por Navarro Tomás (1965), que se silabea *en-vi-dioaeu-se-bio.* La composición de la tercera sílaba de esa locución es [-ƀi̯o̯ae̯u̯], donde [a] es el núcleo vocálico y los demás segmentos no consonánticos son 'satélites' deslizados.

Cuando dos vocales medias que se agrupan tautosilábicamente en la reducción silábica son ambas átonas, el núcleo silábico lo constituye la segunda de las mismas, y así, p. ej. [se̯o-yé-ron] por *se oyeron,* [pe-ro̯es-tá] por *pero está,* etc.

2.66. Del ascenso vocálico

En los dialectos menos influidos por la escritura, la primera de dos vocales medias átonas tautosilábicas puede, además de realizarse asilábica, cambiar de signo con respecto al rasgo [Alto] y realizarse efectivamente como una deslizada alta, es decir, [i̯], [u̯], en el habla rápidorrelajada. Así las frases del ejemplo anterior pueden llegar a pronunciarse [si̯o-ye-ron] y [pe-ru̯es-tá]. El fenómeno se caracteriza postulándose una *regla de ascenso vocálico* —el segmento afectado 'asciende' de medio a alto— que precede a la aplicación de la de deslizamiento, siendo, como esta última, de carácter variable. La derivación de la realización [pe-ru̯es-tá] sería en parte como sigue:

/pero esta/	forma subyacente
pero está	asignación acentual
peru está	ascenso vocálico
peru̯ está	deslizamiento

2.67. Sobre la reducción de /a/

En los casos en que una vocal media tónica es el núcleo en combinación tautosilábica con un alófono representativo de /a/, el mismo no es tan bajo como el simbolizado [a]. El alófono en cuestión, transcrito [ɐ] es al que aplica la regla de deslizamiento, resultando [ɐ̯]. Por ejemplo la pronunciación rápidorrelajada de *sé hablar* puede ser [séɐ̯*blar*. El proceso /a/ → [ɐ̯] es distinto al de ascenso vocálico porque el segmento resultante retiene los rasgos distintivos de /a/ en cuanto a la altura: es [— alto, + bajo]. Hay dentro del marco generativo reglas llamadas de *detalle fonético,* que especifican en términos no binarios el grado relativo en que un segmento participa de cierta cualidad fónica que comparte con otros segmentos. Los fonemas /o/ y /u/ son ambos redondeados, pero [u] es más redondeado que [o]. La diferencia se caracteriza postulando una regla de detalle fonético que asigna un grado mayor de redondeamiento a [u]. En el caso de los alófonos de /a/, [ɐ] es el producto de una regla de detalle fonético que especifica que en su producción la lengua desciende menos de la posición neutral que en el caso de [a], siendo los dos segmentos sin embargo [+ bajos].

En muchos casos de reducción silábica, si /a/ se realiza [a], resulta ser el núcleo y son las otras vocales las que se deslizan. Compárese *mi*[ro̯en]*tonces* con *mi*[rae̯n]*tonces*. En el segundo caso no se cumple el principio de que sea el primer segmento de la secuencia no-consonántica el afectado por la regla de deslizamiento; la razón es que [a] no se dseliza. Es frecuente inclusive que en el habla rápida el acento se desplace de una vocal media tónica a [a] átona, para que esta última resulte el núcleo, e. gr. [nó-se̯á-tón-to] por *no sea tonto,* [en-tro̯á-ko-mér] por *entró a comer,* etc.

2.68. Fusión vocálica

En los casos de reducción silábica que hemos visto hasta ahora los segmentos vocálicos participantes eran siempre fonemáticamente distintos. Pero otra forma de reducción silábica es lo que la fonética tradicional llama 'sinéresis y sinalefa de vocales idéncas' y que aquí denominaremos *fusión vocálica.* Se trata de que en determinadas circunstancias cualquier secuencia de vocales idénticas se pronuncia como una sola vocal con la misma duración que una vocal simple. Es un proceso variable que se facilita a medida que aumenta la velocidad del habla pero que aparece prácticamente en todos los estilos cuando las vocales son átonas y hay además linde vocabular entre ellas, como en, por ejemplo, *habl*[a]*licia* por *habla Alicia, lla*[mal]*berto* por *llama a Alberto* (donde se reducen a una, no dos, sino tres vocales), *e*[sem]*peño* por *ese empeño, o*[tro]*menaje* por *otro homenaje,* etc.

La fusión vocálica tiene lugar con menos frecuencia cuando la segunda vocal es tónica. En esas circunstancias en el habla lenta pueden escucharse dos vocales —y por tanto dos sílabas— aun en los casos en que no media ningún tipo de pausa entre las mismas, siendo en realidad un fenómeno de carácter melódico: la sílaba tónica se pronuncia con un tono más agudo que la átona. Así en la frase *de él,* pronunciada con lentitud, ocurre algo que podríamos transcribir [deé̯l], indicando la línea cóncava la continuación de la articulación vocálica. Pero la misma frase llega a realizarse [dél] en el habla rápida.

2.69. Elisión de vocales

La fusión vocálica puede considerarse un caso de elisión en que deja de pronunciarse o la primera o la segunda vocal. Hay además otros casos de elisión vocálica en que el contexto no es el contacto con una vocal idéntica. Por ejemplo en el habla rápida llega a elidirse la vocal final de una palabra en casos en que la palabra que sigue comienza con una vocal diferente a aquélla, como sucede en [uníslita] por *una islita,* con elisión de /a/.

2.70. Consonantización de vocales y deslizadas altas

En determinadas circunstancias los fonemas vocálicos altos /i/ y /u/ se representan en lo patente por [y] y [w], alófonos con fricción consonántica. El primero es virtualmente idéntico al alófono fricativo del fonema consonántico /y/;en cuanto a [w], es una fricativa labiovelar equivalente a la pronunciación relajada de la secuencia [ɣu̯]. La diferencia entre [w] y [ɣu̯] radica en que los labios están más abiertos en [w], presentando este segmento un grado menor de redondeamiento que el que se da en la deslizada velar [u̯]. Este proceso de *consonantización* tiene lugar en el habla rápida cuando /i/ y /u/ están en posición intervocálica. Se trata seguramente de un proceso variable. Ejemplos son las pronunciaciones rápidas [ésteyése] por *este y ese* y [éstewótro] por *este u otro,* donde suponemos que la forma subyacente de la conjunción *y* es /i/ y la de *u* —variante morfemática de *o*— es /u/.

También se consonantizan de modo variable los fonemas deslizados /i̯/ y /u̯/, lo que ocurre cuando están en posición intervocálica. En dialectos en que las palabras que empiezan con *hi-* o *hu-* seguidas de vocal en la escritura se pronuncian con deslizada inicial en el habla lenta, las mismas llegan a pronunciarse con [y]/[w] en el habla rápida en el contexto indicado, y así alternan, por ejemplo, [dei̯élo] y [deyélo] por *de hielo,* [lau̯érta] y [lawérta] por *la huerta,* etc.

De modo que en la alofonía de vocales y deslizadas altas hay que incluir alófonos consonánticos.

2.71. ALOFANÍA DE LAS VOCALES Y DESLIZADAS DEL CASTELLANO-TNT

Todos los dialectos del castellano presentan los cinco fonemas vocálicos /i, e, a, o, u/ y ningún otro, y los fonemas deslizados /i/ y /u/y ningún otro. Tomando de nuevo como punto de partida el castellano-TNT e interpretando dentro de nuestro marco teórico los datos de Navarro Tomás, relacionamos a continuación los principales alófonos de las vocales y deslizadas en los estilos en que los únicos casos de intersección fonemática surgen al aplicarles a las vocales altas las reglas de deslizamiento y consonantización, y a las deslizadas las de consonantización y silabización (es decir, no incluimos los casos en que [i̯] y [u̯] son alófonos de /e/ y /o/ en el proceso de 'ascenso' vocálico.

Vocales (las cinco son [+ silábicas] a nivel subyacente)

/i/, [+ alto, — bajo, — retraído, — redondeado]
ort. i. y:
[i̯], deslizada, cuando es átona y está en contacto con otra vocal *(mi̯ amigo, Ramón y̯ Elena)*
[y] consonántica, cuando es intervocálica y átona *(calla y̠ escucha) (qui̯so, mi̯ casa, gentí̯o, pan y̠ libertad).*

No hay en realidad un solo tipo de [i]; en una transcripción estrecha como la de Navarro Tomás puede distinguirse entre alófonos más cerrados (relativamente más altos), que aparecen en *sílaba abierta* —o sílaba terminada en segmento no consonántico— y alófonos más abiertos (no tan altos), que aparecen en *sílaba cerrada* —o sílaba terminada en consonante—. Así la /i/ de [mi] es cerrada y la de [mis] es abierta.

/e/, [— alto,— bajo,— retraído, — redondeado]
ort. *e:*
[ẹ] relativamente más cerrada, tiene los rasgos de la forma subyacente; aparece, según Navarro Tomás, en sílaba abierta salvo

si sigue a [x] o si precede o sigue a [r̄], y en sílaba cerrada por /m, n, θ, s, t, d/ *(eso, será, mes, empezar, entre, tez, étnico, sed);*

[e̞] relativamente más abierta (más baja que la posición neutral pero en grado mucho menor que los alófonos más cerrados de /a/); aparece, según Navarro Tomás, en sílaba abierta cuando va precedida de [x] o [r̄] o si la sílaba siguiente empieza con [r̄] *(gema, reto, perro)* o en el diptongo [ei̯] *(rey, deleitar),* y en sílaba cerrada por consonante que no sea /m, n, θ, s, t, d/ *(Berta, inepto, él, secta,* etc.);

[e̯], deslizada, en la reducción silábica *(se oyó, Leonardo).*

/a/, [— alto, + bajo, + retraído, — redondeado]

ort. *a:*

[ạ] 'velarizada', el más retraído de los alófonos; aparece ante consonante velar *(paje)* y ante vocal o deslizada retraídas *(Bilbao, cauce);*

[a'], 'palatalizada'; no es retraída, pero siendo baja no se confunde con ninguna otra vocal; aparece ante consonante palatal y palatoalveolar *(macho, ayer)* y ante la deslizada palatal [i], con la que forma diptongo *(hay);*

[a], 'media' con los rasgos de la forma subyacente; aparece en los demás contextos *(caro, paz)* no siendo tan retraída como la variante velarizada.

[ɐ], 'relajada' aparece cuando /a/ recibe acento átono débil; aunque es baja, no lo es tanto como los otros alófonos *(colmena, necesita);*

[ɐ̯], variante deslizada de la anterior en contacto con vocal no alta tónica *(sé hacerlo, llamó Aguirre).*

/o/, [— alto, — bajo, + retraído, + redondeado]

ort. *o:*

[ọ], relativamente más cerrada; tiene los rasgos de la forma subyacente; aparece en sílaba abierta *(llamó, soñar, Pou),* pero no si sigue o precede a [r̄] o si precede a [x] o [i];

[o̞], relativamente más abierta (más baja que la posición neutral); aparece en sílaba abierta si sigue o precede a [r̄] *(perro, roja)* o si precede a [x] o [i̯] *(hoja, oigo)* y en sílaba cerrada por cualquier consonante *(son, por, optar, hombre,* etc.);

[o̯], deslizada, en la reducción silábica *(poético, no empiece).*

/u/, [+ alto, — bajo, + retraído, + redondeado]

[u̯], delizada, cuando es átona y está en contacto con otra vocal *(tu amigo, Ramón u Hortensia);*

[w], consonántica, cuando es intervocálica y átona *(Alicia u Olga);*

[u], con los rasgos de la forma subyacente en los demás contextos *(lujo, tu casa, actúo).*

No hay en realidad un solo tipo de [u]; en una transcripción más estrecha como la de Navarro Tomás puede distinguirse entre alófonos más cerrados y alófonos más abiertos que aparecen en sílaba cerrada. Así /u/ es más cerrada en [músa] y más abierta en [súr].

Deslizadas (las dos son [— silábicas] a nivel subyacente)

/i/, [+ alto, — bajo, — retraído, — redondeado]

[y], consonántica en posición intervocálica en los estilos más rápidorrelajados [soyasí] por *soy así;*

[i̯] con los rasgos de la forma subyacente en los demás contextos del habla rápida y en todos los contextos del habla normal *(voy, peine, cambio);*

[i], vocal, en el habla sumamente y lenta, o por convención poética ([kám-bi-o] por *cambio).*

/u/, [+ alto, — bajo, + retraído, + redondeado]

[w], consonántica en posición intervocálica en el habla rápidorrelajada [lawérta] por *la huerta;*

[u], con los rasgos de la forma subyacente en los demás contextos del habla rápida y en todos los del habla normal *(fatuo, reuma);*

[u] vocal, en el habla sumamente esmerada y lenta, o por convención poética ([mú-tu-o por *mutuo*] [r̃é-u-ma] por *reuma).*

2.72. División silábica

Anteriormente habíamos visto que distintas lenguas tienen distintas formas de organizar sus segmentos en fonemas o clases psicológicas: un contraste que es fonemático en una lengua puede no serlo en otra. La relatividad de la estructura fónica se extiende también a la forma en que los hablantes dividen en sílabas las locuciones de su lengua: lo que es sílaba en una lengua puede no serlo en otra. Sirvan a modo de ilustración dos ejemplos contrastivos entre el inglés y el español. Para un anglohablante la palabra *instructor* 'instructor' tiene tres sílabas: *in-struc-tor,* siendo *n* y *s* heterosilábicas; en cambio en castellano el equivalente *instructor* se silabea *ins-truc- tor,* siendo tautosilábica la secuencia *ns.* Y los anglohablantes agrupan /r/ intervocálica con la primera vocal, e. gr., *A-mér-i-ca,* pero los castellanohablantes la agrupan con la segunda, e. gr., *A-mé-ri-ca.*

La fonología particular de cada lengua debe incluir entonces una serie de reglas que determinen la forma de silabear que le es propia.

2.73. Pautas de silabeo y reglas de resilabeo

Sucede en castellano que una misma locución se silabea de modos distintos según el estilo fónico con que se pronuncie. Ello se debe en gran parte a la aplicación o inaplicación de los procesos de deslizamiento y fusión vocálica. Por ejemplo la locución *A mí Elena me hizo otro abrigo* se silabearía en el habla lenta y cuidada *a-mí-e-le-na-me-hi-zo-o-tro-a-bri-go,* pero en el habla rápidorrelajada podría llegar a silabearse *a-mȋ̯é-le-na-méȋ̯-zo-trȏ̯a-brigo,* con dos casos de despiazamiento acentual, tres de deslizamiento y uno de fusión vocálica.

A nivel de locución, los principios que determinan la división silábica deben aplicarse después de otras reglas fonológicas. Por ejemplo, la configuración acentual de una locución determinará si ciertas vocales se deslizan o no, por lo que la asignación acentual debe preceder a la división silábica. A nivel de palabra aislada, sin embargo, se tiene en cuenta para la acentuación el carácter silábico o asilábico de un segmento —recuérdese el contraste entre *cambio* y *gentío*—, por lo que la determinación de la estructura silábica debe preceder a la asignación acentual.

Suena paradójico que en un caso la acentuación preceda al silabeo y en el otro sea a la inversa, pero no si se considera que hablamos de niveles distintos de análisis. En nuestro marco teórico distinguiremos entre *pautas de silabeo,* o principios que expresan la estructura silábica de las formas subyacentes de las palabras independientemente de su posición en el decurso fónico, y *reglas de resilabeo,* o procesos que reajustan las lindes silábicas después de la aplicación de otros procesos fonológicos que, como el deslizamiento y la silabización, cambian la valencia del rasgo silábico de más a menos o viceversa. El dominio de las pautas de silabeo es la palabra aislada a nivel subyacente, y el de las reglas de resilabeo es la locución.

Consideramos que la representación fonemática de cada palabra contiene información sobre su estructura silábica y que las pautas de silabeo no son más que generalizaciones sobre esta estructura. Si entre el nivel subyacente y el patente no media ningún proceso que altere el rasgo [silábico] o que, como la fusión vocálica, reduzca el número de sílabas, las palabras reflejarán, al pronunciarse aisladas, la misma estructura silábica que suponemos tienen a nivel fonemático.

Postulamos que las siguientes pautas de silabeo son comunes a todas las modalidades del castellano [PS abrevia 'pauta de silabeo']:

PS 1) Unicamente las vocales pueden ser núcleo de sílaba (no pueden serlo ni las consonantes ni las deslizadas).

PS 2) Una consonante intervocálica es tautosilábica con la segunda vocal, e. gr., [ká-sa], nunca *[kas-a].

PS 3) Tanto en posición prenuclear como posnuclear no pueden aparecer más de dos consonantes, e. gr., no existen en castellano sílabas como **pfle* o **ensk*.

PS 4) La segunda consonante de un grupo prenuclear tiene que ser /l/ o /r/, e. gr., no existen sílabas como **pte* o **bne*.

PS 5) La segunda consonante de un grupo posnuclear tiene que ser /s/ [5].

PS 6) Las únicas consonantes que pueden aparecer como primer elemento de un grupo prenuclear son /p, t, k, b, d, g, f/, e. gr., no existen sílabas como **nro*, **slo*, *[č]*ra*, *[*x*]*le*, etc.

PS 7) El fonema /r/ siempre es tautosilábico con la consonante que lo precede, e. gr., [o-bra], nunca *[ob-ra].

Suponemos que las pautas de silabeo son invariables. En cambio algunas reglas de resilabeo son, como otras reglas fonológicas, de carácter variable. Por ejemplo existe una regla que hace que a nivel de locución se cumpla, a través de linde vocabular, el

5. Las únicas sílabas que violan esta pauta son *-ist* en la pronunciación exageradamente artificial de *istmo* y algunas que aparecen en la pronunciación esmerada de ciertos préstamos léxicos y nombres extranjeros, e. gr., *-fort* en *confort*, *bent-* en *Ventnor*, pero en la pronunciación normal las mismas se conforman a esta pauta, así [its-mo] o [ís-mo], [kom-fór], [ben-nór], etc.

principio expresado en la PS 2. La regla, que puede resumirse VC # V... → V-CV... hace que, p. ej., *es un oso* se resilabee *e-su-no-so*. En el habla más lenta y cuidada, sin embargo, puede no darse el fenómeno si media pausa, por breve que sea, entre una palabra y la que la sigue, resultando la división silábica que tendrían las palabras pronunciadas aisladas, e. gr., [és-ún-ó-so].

Las reglas de resilabeo suelen asegurar que a nivel de locución se cumplan en interior de palabra la mayoría de las pautas. En algunos casos sin embargo hay conflictos entre reglas y pautas. Según Navarro Tomás, la vibrante múltiple /r̃/ en posición intervocálica reparte sus vibraciones entre la consonante que la precede y la que la sigue, violando en cierto modo la PS 2.

Veremos luego cómo en ciertos dialectos americanos se registran a nivel de locución estructuras silábicas que violan otras de las pautas dadas.

2.74. Sobre las reglas de la estructura léxica

En la fonología generativa estándar (v. Guitart 1980a), en la que no se consideraba a la sílaba como entidad a nivel fonemático, se postulaba un juego de *reglas de la estructura morfemática* (también llamadas *reglas de redundancia),* las que especificaban qué cadenas de segmentos podían ser o no morfemas posibles de una lengua determinada. Por ejemplo, para el castellano debía postularse una regla que determinara que el segundo segmento de un grupo prenuclear consonántico tenía que ser forzosamente /l/ o /r/. Dicha regla daba cuenta no sólo de morfemas como *Blas* y *cruz* sino también del hecho de que *bras* y *clus* podían ser potencialmente morfemas castellanos y era sencillamente un accidente que no existieran como tales. En cambio **bnas* y **cnus* no sólo eran inexistentes sino que nunca entrarían a la lengua por no conformarse a la estructura morfemática de la misma.

En la teoría posterior en que se acepta el carácter fonemático de la sílaba se ve que muchas de las restricciones sobre la estructura morfemática son en realidad restricciones sobre la estructura silábica. Que los castellanohablantes consideren que **bnas* es imposible se debe al principio expresado en la PS 4.

Ahora bien, existen ciertas restricciones a la composición fónica de las palabras castellanas que son independientes de la estructura silábica y que deben incluirse en la fonología de nuestra lengua si se quiere caracterizar todos los aspectos del conocimiento del hablante.

Una de estas *reglas de la estructura léxica* atañe a la posición del fonema vibrante simple /r/. Aunque /r/ puede aparecer a principio de sílaba (c. gr., *ra* en *pera, re* en *aire,* etc.) no puede aparecer a principio de palabra, como ya se ha visto (cf. */rosa/).

Otra regla de la estructura léxica tiene que ver con la no aparición de deslizadas altas a final de palabras no oxítonas. No hay ninguna palabra en castellano que termine en diptongo formado por una vocal átona seguida de una deslizada alta. Es por ello que al incorporarse a la lengua el vocablo inglés *convoy* lo hiciera como oxítono a pesar de ser paroxítono en inglés: [kom-bói̯], no *[kóm-boi̯]. Pero los diptongos compuestos de vocal átona y deslizada alta pueden aparecer en interior de palabra e inclusive formarse a través de linde vocabular, e. gr., [ai̯]*roso,* rest*[au̯]rado,* per[oi̯]*nterminable,* etc.

Podemos postular que las palabras que a nivel patente terminan en vocal tónica más deslizada alta, e. gr., *mamey, Jersey, Palau,* etc., terminan en vocal a nivel subyacente y no son excepciones a la regla que asigna penúltimo acento a las palabras terminadas en vocal. Esto es, p. ej. *jersey* y *Palau* son a nivel subyacente /xer-sé-i/ y /pa-lá-u/. Después de la asignación acentual, que resulta en xer-sé-i y pa-lá-u, se aplica la regla de deslizamiento al último segmento, lo que da cuenta de las pronunciaciones patentes [xer-séi̯] y [pa-láu̯]. La regla que prohíbe en castellano palabras como *[kóm-boi̯] puede formularse entonces en términos de la inexistencia de deslizadas subyacentes en posición final de palabra.

2.75. SOBRE LA ENTONACIÓN

Hasta ahora hemos tratado principalmente de lo segmental en la fonología castellana. Hay sin embargo otros fenómenos denominados *suprasegmentales* que se producen simultáneamente con los segmentos y son parte integral de la expresión lingüística. Uno de esos fenómenos es la acentuación, de la que ya hablamos; el otro es la *entonación.*

La expresión oral no es monótona sino que se caracteriza por presentar variaciones de tono. El tono es, como hemos señalado antes, el correlato psicológico de las variaciones de la frecuencia con que vibran las cuerdas vocales durante una locución. A mayor número de vibraciones más alto o *agudo* es el tono y a menor número más bajo o *grave* es.

La entonación es la curva melódica de una locución, la configuración de sus variaciones tonales. Del tono se dice que es un fenómeno psicológico relativo. No interesan para la entonación las frecuencias numéricas absolutas de las vibraciones glotales sino la relación entre un nivel tonal y otro, pudiendo darse tres posibilidades: que el tono ascienda, que descienda o que se mantenga al mismo nivel. El tono más grave de la voz femenina o de la infantil suele resultar agudo en comparación con el de la voz masculina. Pero ya sea nuestro interlocutor un hombre o un niño sabemos por la entonación qué tipo de mensaje nos ha formulado, si se trata, p. ej., de una aseveración o una pregunta o un mandato.

Consideramos conveniente posponer hasta el capítulo siguiente el tratamiento teórico descriptivo de la entonación castellana por parecernos más didáctico hacerlo en un marco dialectal comparativo.

CAPITULO III

Fonología dialectal hispanoamericana

3.0. Preliminares

En este capítulo enfocamos los fenómenos dialectales de la pronunciación del castellano de América, es decir, aquellos que por no ser de aparición general sirven para diferencial las hablas americanas unas de otras y de las modalidades peninsulares.

Dentro de la dialectología hispanoamericana los fenómenos mejor estudiados son aquellos que se refieren a la pronunciación de las consonantes, y a ellos dedicamos mayor espacio. Pero existen diferencias importantes en el vocalismo, el silabeo y la entonación, de las que también nos ocuparemos.

Empezamos por analizar los fenómenos principales del consonantismo hispanoamericano.

I. CONSONANTISMO

3.1. Seseo

Denomínase seseo a la ausencia a nivel fonemático subyacente de un segmento interdental fricativo sordo, /θ/ y a la presencia en su lugar de /s/. Es decir, los hablantes seseantes tienen en sus representaciones subyacentes /s/ donde los hablantes no seseantes tienen /θ/. Como antes vimos, /θ/ es el sonido representado en la ortografía por *z y* por *c* ante *e, i.* Los que sesean pronuncian igual *zumo* y *sumo, ciervo* y *siervo, caza* y *casa,* etc.

Todos los dialectos americanos son seseantes y también lo son algunos de los dialectos de la modalidad peninsular meridional.

Según Zamora Vicente (1967), quedan restos de la distinción /θ/-/s/ en hablas peruanas, donde se pronuncia, por ejemplo [dóθe] por *doce,* y se distingue, como en la modalidad peninsular centro-norteña, entre [dóθempúnto] (las doce) y [dósempúnto] (las dos); pero el mismo autor apunta que la presencia de /θ/ se limita a unos cuantos vocablos.

A causa del contacto interdialectal, un hablante seseante puede estar consciente de la existencia del contraste y usar /θ/ inclusive en algunas palabras. No se sabe de ningún dialecto americano sin embargo en que se practique de modo general la distinción.

Es conveniente apuntar que en algunas hablas americanas (e. gr., las de Ciudad de México y de La Paz, Bolivia) existe [θ] como alófono de /d/ en posición posnuclear, tal como ocurre en el madrileño, y así se oyen pronunciaciones como [bondáθ], [aθmósfera], etc., en esas hablas.

3.2. Ceceo

En ciertos dialectos americanos, e. gr., en hablas salvadoreñas (v. Canfield, 1962) y puertorriqueñas (v. Navarro Tomás, 1948) se registra el fenómeno denominado *ceceo,* que consiste en pronunciar /s/ con un timbre parecido al de /θ/, no existiendo además la distinción entre /θ/ y /s/, por lo que los hablantes 'cecean' tanto *ciervo* como *siervo, casa* como *caza,* etc. El fenómeno es mucho más general en Andalucía. En los dialectos en que no existe, el ceceo se tiene como defecto del habla.

Como ha observado Navarro Tomás, la articulación ceceante puede ser lo mismo dental que interdental, pero lo que es común a todas las realizaciones es la forma de la estrechez creada por lengua y dientes, que es hendida como la de /θ/ y no acanalada como la de /s/ (v. 2.15b), de ahí la semejanza de timbre.

3.3. Lleísmo *y* yeísmo

Lleísmo es la presencia en el inventario fonemático de /l̬/, segmento lateral palatal sonoro. *Yeísmo* en cambio es la ausencia de tal segmento a nivel subyacente y la presencia en su lugar de /y/, obstruyente palatal oral sonoro. Es decir los hablantes yeístas tienen en sus representaciones subyacentes /y/ donde los lleístas tienen /l̬/.

Como antes se vio, /l̬/ es el segmento representado en la ortografía por *ll,* y así los lleístas distinguen p. ej. entre *calló* [kal̬ó] y *cayó* [kayó] pero los yeístas pronuncian igual ambas palabras, siendo la representación subyacente /kayo/ para las dos.

La mayoría de los dialectos tanto americanos como peninsulares no tienen /l̬/.

Por lo general los hablantes lleístas —al menos los lleístas cultos— pronuncian con /l̬/ las palabras que se escriben con *ll,* pero no las que se escriben con *y.* Se ha atestiguado sin embargo casos de lleístas que tienen /l̬/ donde la lengua general tiene /y/, e. gr., [l̬éma] por *yema* (v. Flórez, 1965).

Si existieran hablantes que de modo variable pronunciaran la misma palabra algunas veces con obstruyente y otras con lateral, que dijeran, p. ej., algunas veces *cá*[y]*ese* y otras *ca*[l̬]*ese* por *cállese,* el fenómeno podría caracterizarse postulando una regla variable de 'obstruyentización' de /l̬/ si es que predominaran las realizaciones con [l̬] y se tuviera por tanto a /l̬/ como subyacente. Si por el contrario predominaran las realizaciones con [y] y se tuviera a /y/ como subyacente, podría postularse una regla de 'lateralización'.

3.4. Žeísmo

Puede definirse el žeísmo en general como la presencia a nivel fonemático de un segmento fricativo prepalatal (alveopalatal) sonoro tenso y estridente (esto es, con un grado relativamente notable de ruido) que se simboliza /ž/ (y [ž] su representación fonética). Muy parecido en su tiembre a la *j* del francés, es el sonido que algunas fuentes tradicionales denominan la '*y* rehilada'.

Resulta impropio sin embargo hablar del 'rehilamiento' de /y/ como proceso sincrónico si no se dan alternancias en que el mismo morfema o palabra se pronuncie a veces con [ž]y a veces con un alófono de /y/. Si existiera esa situación, sí habría que postular o una regla de rehilamiento (/y/ → [ž]) o una de des-rehilamiento (/ž/ → [y]), según se considerara subyacente a /y/ o /ž/. Que sepamos, sin embargo, en ningún dialecto žeísta se da, p. ej., que *yo* se pronuncie a veces [y̌ó] o [yó] y a veces [žó].

El que no exista en la gramática de los dialectos zeístas un proceso vivo de 'rehilamiento' de /y/ se ve en el hecho de que [y] procedente de la consonantización de deslizada palatal nunca se pronuncia [ž]. Es decir, p. ej., la frase *voy a hacerlo* llega a pronunciarse entre zeístas [bó-ya-sér-lo] en el habla rápida pero nunca se pronuncia *[bó-ža-sér-lo].

3.5. Casos de žeísmo

Con respecto a la relación entre /ž/ y los fonemas palatales sonoros /y/ y /ļ/ se han atestiguado en el castellano de América al menos las cuatro situaciones siguientes:

1) Hay dialectos žeístas (e. gr. el castellano de Santiago del Estero, Argentina, v. Vidal de Battini, 1964) que tienen /y/ a nivel fonemático en las mismas palabras que lo tienen los dialectos yeístas, pero tienen /ž/ donde los dialectos lleístas tienen /ļ/, careciendo de este último fonema; así sus hablantes distinguen entre [kayó] de *caer,* y [kažó], de *callar*.

2) Hay dialectos žeístas (e. gr., el porteño o castellano de la ciudad de Buenos Aires, Arg.) en que /ž/ aparece en lugar tanto de /ļ/ como de /y/, con excepción de las palabras que empiezan con *hie-* en la escritura, que tienen /y/, y así por ejemplo /sežo/ por *sello,* /žeso/ por *yeso,* pero /yelo/ por *hielo.*

3) Hay dialectos žeístas (e. gr., el castellano de Montevideo, Uruguay) en que no existen ni /ļ/ ni /y/ y se pronuncian con /ž/ todas las palabras que en los dialectos que distinguen entre esos dos fonemas tienen /ļ/ o /y/ y así no sólo se dice [séžo] por *sello* y [žéso] por *yeso* sino también [žélo] por *hielo.*

4) Por último, hay dialectos žeístas que son además lleístas pero no tienen /y/, dándose en ellos el contraste entre se *ca*[ļ]*ó* 'guardó silencio' y se *ca*[ž]*ó* 'se desplomó,. Se ha atestiguado este fenómeno, p. ej. en hablas argentinas, chilenas y bolivianas, entre otras. Como se informa que en algunas de estas hablas la distinción está perdiéndose (v. Vidal de Battini, 1964), hay motivos para pensar que existe un proceso variable de rehilamiento, no de /y/ sino de /ļ/. Puede ser, p. ej. que la realización [ļamé] por *llamé* aparezca más en el habla cuidada y autorregulada donde hay más influencia de la lengua escrita y que la realización [žamé] por la misma palabra se dé más en el habla espontánea.

Debe apuntarse que [ž] puede aparecer como alófono de /y/ en el contexto /s/# ——, en los dialectos no žeístas en que /s/ no se debilita en posición posnuclear y es por el contrario más bien tensa, con lo que al parecer por asimilación de tensión se pronuncia, e. gr., *des*[ž]*elo* por *deshielo, mis*[ž]*áves* por *mis llaves,* etcétera, llegando en algunos casos a fundirse la secuencia /sy/ en un solo segmento [ž], y así, p. ej. *mi*[ž]*aves* por *mis llaves* que registra Perissinotto (1975: 52) en la Ciudad de México.

3.6. Ensordecimiento de /ž/

Tanto en dialectos žeístas que presenten el contraste entre /ž/ y /l/ como en aquellos que carecen de /l/, se da la aparición a nivel fonético de [š] como alófono de /ž/. Se trata de la contraparte sorda de [ž]. Es decir [š] es fricativo alveopalatal (o prepalatal) tenso y estridente, pero se articula sin vibración de las cuerdas vocales. En su timbre, [š] es muy parecido al sonido del inglés representado frecuentemente en la ortografía por *sh* (como en *shame, dish,* etc.).

El ensordecimiento de /ž/ o 'šeísmo' es un fenómeno variable. La regla /ž/ → [š] no está condicionada por el contexto fónico, ya que el proceso tiene lugar en las mismas posiciones en que aparece [ž], esto es, a principio y en interior de palabra, e. gr., [šó] por *yo,* [kanáša] por *canalla* (cuando no hay lleísmo), [mašó] por *mayo,* etc.

Tal como ocurre con muchos otros fenómenos fonéticos independiente del contexto fónico, el ensordecimiento de /ž/ está relacionado con factores sociolingüísticos tales como clase social, sexo, edad y registro de habla (culto vs. coloquial, formal vs. informal), etc. En algunos dialectos es característico del habla de la juventud (v. Vidal de Battini, 1964); en otros aparece más entre las mujeres que entre los hombres (e. gr., en el habla de Montevideo, v. Montes Giraldo, 1966) y en otros es característico del habla coloquial (v. Vidal de Battini, op. cit.).

3.7. La pronunciación de /y/

Se recordará que en el castellano-TNT el fonema /y/ tiene un alófono africado [ŷ] que aparece después de pausa o nasal o lateral (e. gr., [ŷ]*eso, in*[ŷ]*ección, el*[ŷ]*eso)* y un alófono fricativo [y] que aparece entre vocales (e. gr., [máyo]) y después de otras consonantes (e. gr., *es*[y]*añez).* Es ésta la distribución que suelen dar como categórica los textos de castellano para extranjeros.

En el complejo dialectal castellano considerado en su totalidad, y en especial en el castellano de América, se registran distribuciones que se apartan de un modo u otro de esa 'norma'. En primer lugar, como antes dijimos, la alternancia entre [y̌] e [y] no depende exclusivamente del contexto fónico y está relacionada con el grado de tensión con que se pronuncie. El propio Navarro Tomás (1965: 129) observa que la realización fricativa puede aparecer después de pausa «en pronunciación familiar, rápida o descuidada», predominando en el mismo contexto la realización africada en la pronunciación «lenta, fuerte o enfática».

En el castellano-TNT se considera normal que /y/ *tienda a ser africada* en las posiciones en que normalmente la pronunciación de consonantes es relativamente más tensa, e. gr., a principio de locución, y que *tienda a ser fricativa* en las posiciones en que normalmente las consonantes son relativamente menos tensas, e. gr., entre vocales.

Tomadas esas tendencias como norma, existen en el castellano de América dos desviaciones fundamentales de la misma, que son: 1) la presencia relativamente frecuente de [y̌] en posiciones que desfavorecen la tensión, e. gr., entre vocales en interior de palabra, lo que se da p. ej. en ciertas hablas puertorriqueñas donde pueden escucharse en el habla espontánea pronunciaciones como [éy̌asekay̌o] por *ella se cayó* (v. Saciuk, 1980); 2) la presencia relativamente frecuente de [y] en posiciones que favorecen la tensión, principalmente a principio de locución, p. ej. en el castellano de Bogotá (v. Flórez, 1951) y en muchos otros dialectos.

En otras hablas americanas (e. gr., el cubano) la distribución de /y/ coincide con la del castellano-TNT.

Una variación significativa en la pronunciación de /y/ lo es la de que en algunos dialectos aparezca la deslizada palatal [i̯] en contextos donde se esperaría [y]. La sustitución de [y] por [i̯] puede achacarse a un proceso de 'desconsonantización' de /y/. Por ejemplo en la realización [mái̯o] por *mayo* parece haberse producido una disminución aún mayor de la tensión articulatoria en posición intervocálica, lo que hace que no tenga lugar la fricción que distingue a [y], consonante, de [i̯], deslizada.

En algunas variedades yeístas las palabras que comienzan con *hie-* en la escritura se pronuncian a veces con [i̯] en vez de la consonante en el habla lenta y cuidada, e. gr., [i̯éna] por *biena,* [i̯élo] por *hielo,* etc., efectuando los mismos hablantes la pronunciación consonántica en estilos más espontáneos y rápidos. Puede tal vez postularse que esos hablantes presentan /i/ o inclusive /i̯/ en las representaciones subyacentes de esas palabras, y que [i̯], ya sea derivada de la vocal o alófono de un fonema deslizado, puede 'consonantizarse' en el habla rápida. Otra posibiildad teórica de gran interés es la de que los mismos hablantes tengan dos representaciones subyacentes para una misma palabra, una de las cuales esté basada en la memoria visual de su representación ortográfica, de modo que en la pronunciación cuidada de, p. ej. *hielo* el hablante traiga a la conciencia que dicha palabra se escribe con *i* y no con *y* o *ll.* La otra representación se derivaría totalmente de la lengua hablada y contendría siempre /y/.

En algunos dialectos, [y] intervocálica se debilita a tal extremo que llega a no pronunciarse //y/ → ∅, o elisión), y así p. ej. la pronunciación [mía] por *milla,* que se escucha en ciertas hablas chicanas o dialectos mexicanos del suroeste de Estados Unidos.

3.8. Lleísmo sin /y/ ni /ž/

Dentro de la variación dialectal que se registra en la pronunciación de los fonemas sonoros de articulación palatal es interesante incluir el caso del castellano de Paraguay, donde aparece /l̬/ en las palabras que se escriben con *ll,* pero en lugar de /y/ o /ž/ se da un fonema africado prepalatal sonoro tenso y estridente, muy parecido a la *j* del inglés, que aquí simbolizaremos /ǰ/ y cuya realización fonética equivale a la secuencia [d'ž]. Se distingue de la africada palatal sonora [y] en que su elemento fricativo es precisamente [ž], mientras que el elemento fricativo de [y̌] es [y]. La fase oclusiva [d'] es la contraparte sonora de [t'] que, como se recordará, es la fase oclusiva de [č]. El segmento [ǰ] es mucho más estridente que [y̌], siendo la diferencia entre ambos fácilmente apreciable al oído. En el paraguayo contrastan [kaǰó] de *caer* y [kal̬ó] de *callar.*

3.9. La pronunciación de /s/

Dentro del complejo dialectal castellano existe una gran variedad de realizaciones de /s/, tanto en posición prenuclear como posnuclear, sirviendo la alofonía de este segmento para diferenciar claramente unos dialectos de otros.

Teniendo muy a la vista el excelente resumen de Resnick (1975: 36) y adaptándolo con ciertas modificaciones, consideramos que los criterios distintivos más importantes con respecto a /s/ son:

1) Ejecución o inejecución de los gestos *orales* correspondientes a la pronunciación alveolar asibilada, dividiéndose los dialectos entre aquellos cuyos hablantes tienden a ejecutar dichos gestos y aquellos cuyos hablantes tienden a no ejecutarlos, resultando aspiración o elisión (v. infra).

2) Forma de la estrechez en la producción de los alófonos orales de /s/, que puede ser hendida (ceceante) o acanalada (no ceceante), distinguiéndose con este criterio entre los dialectos que cecean y los que no (la inmensa mayoría).

3) Configuración de la lengua y grado de elevación del ápice en las realizaciones orales acanaladas, lo que distingue entre dialectos con /s/ apical cóncava —en que se eleva el ápice— y dialectos en que /s/ es convexa o plana, sin elevación del ápice y la estrechez se forma con la lámina o predorso de la lengua. Como bien informa Resnick, son del primer tipo los segmentos descritos en estudios dialectológicos como '*s* apicoalveolar', '*s* espesa', '*s* palatal' y '*s* apicodental', siendo del segundo tipo las realizaciones descritas como '*s* dorsoalveolar', '*s* predorsal', '*s* dorsal', '*s* andaluza' y '*s* articulada en los incisivos inferiores'. La /s/ apical, [ṡ], que es típica del habla de Castilla y que en América se registra principalmente en la región colombiana de Antioquía, tiene un timbre muy diferente a las realizaciones no apicales, sonándoles a algunos extranjeros (e. gr., anglohablantes) como el sonido prepalatal [š] que tienen en su idioma, precisamente porque la articulación de [ṡ] es menos anterior que la /s/ del que escucha. Las distintas realizaciones alveolares no apicales difieren entre sí en su timbre pero no de un modo tan marcado como entre las mismas y la realización apical. La pronunciación de /s/ alveolar no suele ser un rasgo que llame la atención en el contacto entre, p. ej., andaluces seseantes y americanos no antioqueños.

4) Presencia o ausencia de sonorización de /s/ alveolar intervocálica. En algunas hablas la sonorización de /s/ intervocálica tiene lugar en interior de palabra —decir, p. ej., [kóza] por *cosa*— habiéndose reportado que ello ocurre esporádicamente en hablas

costarricenses y colombianas (v., e. gr., Flórez, 1964). Es posible que el fenómeno sea mucho más general.

Un caso extremadamente peculiar de sonorización de /s/ intervocálica aparece principalmente en las sierras ecuatorianas. El fenómeno, bien documentado (v. Toscano Mateus, 1953), consiste en que /s/ final de palabra se sonoriza regularmente si sigue vocal, y así se dice *lo*[z]*amigos* por *los amigos, la*[z]*asignaturas* por *las asignaturas*, etc., pero no se da en posición no final y los mismos hablantes dicen *Lo*[s]*ada* por *Losada,* [lasálas] por *La Salas,* etc.

3.10. La pronunciación de /r/ y /r̄/

Se recordará que en el castellano-TNT existen dos segmentos /r/ y /r̄/ que contrastan a nivel fonemático únicamente entre vocales, apareciendo uno con exclusión del otro en los demás contextos subyacentes: /r/ no aparece a principio de palabra y /r̄/ no aparece al final; /r̄/ no aparece como segundo elemento de un grupo prenuclear (no hay p. ej. una palabra /br̄ote/ que contraste con /brote/) y, agregamos ahora, /r/ no aparece a principio de sílaba precedida de consonante (no hay p. ej. una palabra /onra/ que contraste con /onr̄a/ *(honra)*). Estas restricciones se dan igualmente a nivel fonético, salvo que [r̄] puede aparecer a final de locución como alófono de /r/, e. gr., *sí, seño[r̄]* en el habla enérgica o enfática.

Se recordará también que tanto /r/ como /r̄/ son segmentos alveolares líquidos vibrantes, es decir, combinan características consonánticas y vocálicas debido a la combinación de libre paso del aire y obstrucción en la zona alveolar, consistiendo /r/ en una sola alternancia de breve oclusión y paso del aire (vibrante simple) y /r̄/ en múltiples manifestaciones de esa alternancia (vibrante múltiple).

Al presentar la alofonía de /r/ en el castellano-TNT no tuvimos oportunidad de mencionar una variante de ese fonema que se da en ese dialecto y en muchos otros en posición posnuclear: la /r/ fricativa, que aquí simbolizamos [ŕ]. De timbre muy parecido al de [r] vibrante, [ŕ] se produce en el habla relajada al no llegar la lengua en la realización de /r/ a tocar la zona alveolar sino solamente a acercarse a la misma, y puede tal vez contar como caso de debilitamiento. Como toda fricativa, [ŕ] es prolongable. Esta variante aparece con frecuencia en dialectos americanos, donde puede sufrir, como veremos más adelante, modificaciones que la alejan aún más de la vibrante subyacente.

En el castellano de América se dan además ciertas manifestaciones tanto de /r/ como de /r̃/ que son muy distintas a las que aparecen en el castellano-TNT.

En primer lugar /r/ sufre importantes modificaciones en posición posnuclear donde llega a representarse por alófonos que no son ni vibrantes ni alveolares y a veces ni hasta líquidos, como pronto veremos al tratar conjuntamente los fenómenos posnucleares de ciertos grupos de dialectos. Para adelantar, en ciertas hablas /r/ llega a aspirarse, e. gr., [káhne] por *carne,* y es muy conocida también la llamada 'confusión de /l/ y /r/', que ya hemos tenido oportunidad de mencionar, llegando /r/ a realizarse como [l], e. gr., [bélte] por *verte.* Este último fenómeno lo examinaremos también dentro del consonantismo posnuclear.

3.11. Asibilación de /r/ y /r̄/

En cuanto a /r/ prenuclear, una de las variedades americanas más conspicuas es la llamada '*r* asibilada', que aquí simbolizamos [ř]. Se trata de una fricativa hendida, relativamente más tensa y estridente que [r] o [ŕ] y de articulación alveolar o posalveolar (prepalatal). Tiene una variante sorda o ensordecida [ř̥], cuyo timbre se acerca mucho al de [ṡ], o /s/ apicoalveolar cóncava ('*s* de Castilla'), por ser ambos sonidos sordos, fricativos y atrasados con respecto a la zona alveolar, pero no son acústicamente idénticos debido probablemente a la distinta forma de la estrechez, que es, repetimos, acanalada en [ṡ], pero hendida en [ř̥].

La asibilada sorda aparece como alófono de /r/ prenuclear en los grupos /tr/ y /dr/, p. ej. en *cuatro* y *podré* (v. Oroz, 1966). En algunos dialectos de asibilación de /r/ prenuclear posconsonántica es un proceso variable, alternándose [r] con la realización vibrante, de modo que *cuatro* puede pronunciarse lo mismo [kuátro] que [kuátř̥o]. En el castellano de Chile la variabilidad de asibilada y vibrante actúa como 'marcador' sociolingüístico. En el habla cuidada de la gente culta predomina la vibrante mientras que entre hablantes incultos predomina la asibilada en todos los estilos. Es característico de un número de procesos variables que en el habla esmerada los hablantes cultos puedan servirse de los segmentos que mejor se reflejan en la escritura y que en cambio los hablantes incultos no dispongan tan ampliamente de esa posibilidad por tener menor conciencia de lo ortográfico.

En el caso de la asibilación chilena, el hablante culto sabe que el grafema *r* representa la vibrante simple en interior de palabra, puesto que /r/ intervocálica media nunca se asibila, e. gr., la conjunción *pero* es siempre [péro], nunca [péṛ̌o].

En el chileno, como en otros dialectos que asibilan y rehílan las vibrantes, sucede además que [ř], la variante asibilada sonora, es el alófono más frecuente del otro fonema vibrante, /r̄/ participando en un proceso variable con el alófono vibrante múltiple de dicho fonema. O sea que, p. ej., *perro* se pronuncia lo mismo [pér̄o] que [péřo], predominando la realización asibilada en todos los estilos salvo en el habla más influida por la escritura.

Los dialectos con /r/ y /r̄/ asibiladas difieren entonces de las hablas en que dichos sonidos no se asibilan, no sólo en la presencia de ese fenómeno a nivel fonético sino también en el hecho de que la variante más tensa, la asibilada, puede aparecer en posición prenuclear posconsonántica, mientras que en los dialectos que no asibilan, aparece siempre en dicho contexto la variante menos tensa, es decir, la vibrante simple.

Debe añadirse que en los dialectos 'asibilantes' la asibilada sonora puede aparecer también en posición final de locución pero como alófono de /r/, ya que, de nuevo, en esa posición no aparece /r̄/ a nivel fonemático, de modo que alternan, p. ej. [señór] y [señóř].

La variabilidad de /r/ y /r̄/ en chileno puede resumirse como sigue:

/r/ →
- [r] entre segmentos no consonánticos (esto es entre vocales, o entre vocal deslizada (e. gr. *aria)* o entre deslizada y vocal (e. gr. *aire)*
- {[r], [ř], [ṛ̌]} en posición pernuclear posconsonántica según el grado de conciencia ortográfica y posiblemente otros factores
- {[r], [ř]} en posición posnuclear según el grado de conciencia ortográfica y posiblemente otros factores

/r̄/ → { [ř] [r̄] en todas las posiciones que aparece dicho fonema y según el grado de conciencia ortográfica y posiblemente otros factores

En el castellano de Costa Rica, donde también se da la asibilación rehilada de vibrantes, aparece como alófono, tanto de /r/ como de /r̄/, un segmento que siendo similar en punto de articulación a [r], no es ni asibilado ni rehilado ni tampoco vibrante. Dicho sonido, que representamos [r'] es al parecer una *aproximante,* como la *r* del inglés en *rich* 'rico' (v. Ladefoged, 1975: 10, 54-56). En su producción, la lengua se acerca a la zona posalveolar pero sin crear la estrechez característica de la fricativa; al mismo tiempo hay cierto obstáculo al paso del aire, por lo que [r'] puede clasificarse como *líquida.* Tiene una variante ensordecida [ṛ'].

El timbre de [r'] es muy similar al del sonido inglés y en efecto la *r* de *Costa Rica* en boca de los hablantes de esa nación recuerda la *r* del ingl. *rich* 'rico'. Cuando [ṛ'] es alófono de /r/ en el grupo prenuclear /tr/ recuerda igualmente el sonido inglés en esa posición; [tṛ'] en *tres* es muy parecido al grupo inicial del ingl. *tree* 'árbol'.

A los hablantes que no asibilan /r/ prenuclear posconsonántica, les parece a veces escuchar el sonido de la africada [č] en la pronunciación rehilada ensordecida del grupo /tr/ y así [ótṛ̌o] les suena *ocho.* Ello se debe en parte a que el primer elemento de [č] es, como se recordará, una *t* prepalatal [t'] y en el rehilamiento de *tr,* /t/ atrasa algo su articulación, resultando en realidad [t'ṛ̌]. En segundo lugar el timbre de [ṛ̌] es muy similar al de [š], que es el elemento fricativo de [č]; sin embargo, los hablantes asibilantes, p. ej. los chilenos, distinguen claramente entre *otro* —[ot'ṛ̌o] y *ocho*— [ot'šo]. De nuevo, la forma de la estrechez —hendida en [ṛ̌] y acanalada en [š]— causa la diferencia de timbre.

La asibilación rehilada de las vibrantes es fenómeno que se da en numerosos dialectos americanos (v. Resnick, 1975), no apareciendo sin embargo en muchos otros, por lo que sirve como importante rasgo de diferenciación interdialectal.

3.12. De la /r̄/ velar

Un fenómeno dialectal de mucha menor difusión que la asibilación de vibrantes es la 'velarización', o mejor, *posteriorización,* de /r̃/ que se manifiesta principalmente en Puerto Rico sin ser general en la isla (v. López Morales, 1979b). Está documentado que se trata de un proceso variable relacionado con factores sociolingüísticos, apareciendo más en el habla espontánea que en la cuidada, más en los estilos más informales que en los más formales, menos en el habla influida por la escritura que en el habla alejada de la influencia ortográfica, etc. (v. Ma y Herasimchuck, 1971). Consiste el fenómeno en la realización de /r̃/ como una fricativa posvelar o uvular con variantes sonoras y ensordecidas que simbolizamos [R] y [Ṛ] respectivamente. También varían en la tensión con que se realizan, llegando en algunos casos a rehilarse y ser de timbre muy parecido a las realizaciones de *r* francesa que tienen los mismos puntos de articulación. En su realización posvelar sorda, no se distingue prácticamente de la fricativa posvelar [X], característica de ciertas hablas de la modalidad centronorteña, e. gr., el castellano de Castilla, y un hablante que tiene este último segmento en su inventario como alófono de /x/, por ejemplo un madrileño, puede llegar a percibir *jamón* [Xamón] cuando un hablante que practica la posteriorización de /r̃/ ha dicho [R]*amón (Ramón).*

Se ha hablado también de una especie de realización mixta, entre vibrante y posteriorizada, de /r̃/. Según Navarro Tomás (1948: 89), dicha variante empieza por un elemento fricativo de «timbre vacilante, ya alveolar o ya velar, y termina con el sonido de una *rr* (esto es, [r̃]) alveolar semivibrante o fricativa». Cuando el primer elemento es posterior, dicho sonido puede tal vez transcribirse [$R^{\tilde{r}}$]. No existen, que sepamos, cómputos de la frecuencia con que aparece la variante mixta en comparación con las realizaciones no mixtas.

3.13. La pronunciación de /b, d, g/

Como punto de comparación, repetimos aquí lo que se da como norma en el castellano-TNT y en los textos de castellano para extranjeros: las realizaciones oclusivas de /b, d, g/ aparecen después de pausa o nasal (o lateral para /d/) y las fricativas en los demás contextos. En dialectos americanos se producen manifestaciones que de una forma u otra se apartan marcadamente de ese tipo de distribución.

Tal vez la desviación más conspicua lo sea la bien documentada realización oclusiva regular de /b, d, g/ después de /r/, /s/

y de las deslizadas [i̯], [u̯] en ciertos dialectos centroamericanos y colombianos (v. Canfield, 1962: 78). Los mismos dialectos se apartan también de la norma en que /b/ y /g/ son oclusiva de /l/. Según Canfield, en esas hablas aparecen únicamente oclusivas en las frases *el buey volvió, es verdad que la deuda es del rey de bastos* y *hay galgos de otros rasgos orgullosos.*

En el otro extremo están atestiguadas realizaciones fricativas de /d/ después de /l/ así como realizaciones fricativas de los tres fonemas después de pausa (v. Lozano, 1979) e inclusive después de nasal (v. Hammond, 1976: 234-237 y Murillo, 1978). Hammond (ob. cit.) informa que las realizaciones fricativas donde se espera oclusivas son muy frecuentes en el habla rápida de hablantes cubanos de Miami. Ello unido a la observación de Navarro Tomás (1965) de que en el habla lenta, enérgica o enfática suelen pronunciarse oclusivas /b, d, g/ intervocálicas en el castellano por él descrito, hace pensar que —como ya habíamos sugerido en el capítulo anterior— la oclusivización y fricativización son procesos de naturaleza variable, no reglas categóricas. Faltan hasta el momento estudios comparativos de la frecuencia con que la oclusivización y la fricativización aparecen en diversos dialectos americanos. Puede ser que algunos dialectos, e. gr., el salvadoreño, se caractericen por ser 'oclusivizantes' de /b, d, g/ mientras que otros, e. gr., el cubano miamense, se caractericen por ser 'fricativizantes'. Otra posibilidad es que estas desviaciones no sean tan frecuentes y las hayan notado los investigadores precisamente por ser excepciones a una tendencia al parecer general de la lengua de oclusivizar en posiciones de mayor tensión articulatoria (e. gr., a principio de locución) y de desoclusivizar (resultando fricación) en posiciones de menor tensión (e. gr., entre vocales).

3.14. La pronunciación de /č/

Se recordará que en el castellano-TNT /č/ es siempre africado, constando de una fase oclusiva equivalente a una *t* prepalatal, que transcribimos [t'] y de una fase fricativa, igualmente prepalatal simbolizada [š]. Los fenómenos dialectales más notables en cuanto a /č/ son:

1) La reducción de la fase fricativa a una deslizada ensordecida, /č/ → [t'i̯], fenómeno atestiguado en hablas antillanas (v. e. gr., Navarro Tomás, 1948, 1956) y colombianas (v. Can-

field, 1962). Es la pronunciación que Navarro Tomás denominó 'adherente', donde predomina la oclusión.

2) La pronunciación más anterior del elemento fricativo, de modo que en vez de ser [š] resulta parecido a [ṡ] o *s* 'espesa' o 'de Castilla'; la pronunciación [t'ṡ] se ha registrado en Chile (ver Canfield, 1962).

3) La elisión total del elemento oclusivo, de modo que /č/ se pronuncia [š], fenómeno oído en dialectos antillanos (v. e. gr., Vaquero de Ramírez, 1978, Cedergren, 1973), pero también en zonas geográficamente distantes de las Antillas, e. gr., Chile (ver Oroz, 1966). Se trata probablemente de un fenómeno muy extendido.

Que se sepa, ninguna de las tres realizaciones indicadas existe con exclusión de todas las demás en ningún dialecto. No se sabe además que de ningún dialecto haya desaparecido completamente la realización [t'š].

En estudios recientes de tipo cuantitativo se ha comprobado que en ciertas hablas el alófono puramente fricativo está en alternancia variable con el africado. Vaquero de Ramírez (1978) encontró predominancia de la realización africada entre hablantes puertorriqueños cultos, pero éstos tenían también realizaciones fricativas. En su monumental estudio cuantitativo del dialecto panameño —donde registra también una variante con oclusión reducida pero todavía africada— Cedergren (1973) ha documentado el hecho de que el proceso /č/ → [š] está parcialmente condicionado por el contexto fónico, manifestándose más en posición intervocálica (como en [mušášo] por *muchacho* y menos después de consonantes, donde tiende a aparecer más la africada (p. ej. en [pinčo] o [pinšo] por *pincho*).

Comprobó además Cedergren que la elisión del elemento oclusivo es mucho más frecuente entre hablantes jóvenes, lo que indica que se trata de un proceso diacrónico en desarrollo.

3.15. La pronunciación de /x/ y el fonema /h/

En el castellano-TNT, el fonema fricativo velar /x/, representado en la ortografía por *j* y *g*[e, i], se pronuncia, como se recordará, posvelar (uvular) [X], delante de las vocales (y también de las deslizadas retraídas (como en *caja, junio, ajuar*) y prevelar (pospalatal) [x'] delante de las vocales (y también de las deslizadas) no retrídas (como en *giro, gente, contagio*). Puede además, cuando es uvular, llegar a ser vibrante en vez de fricativo en la pronunciación enfática, realización que se caracteriza por su estridencia o grado relativamente alto de ruido consonántico (v. Navarro Tomás, 1965: 142).

En el castellano de América existe /x/ velar con la misma distribución que en la modalidad peninsular centro-norteña, pero su articulación no es tan atrasada como la descrita por Navarro Tomás y nunca se hace vibrante ni estridente. Como en el caso de la /x/ centro-norteña, la alofonía de /x/ americana está influida por la articulación de la vocal o deslizada que la sigue, siendo más posterior (sin llegar a ser uvular) delante de retraída y más anterior (más palatal) delante de no retraída. Así es, por ejemplo, la /x/ de Ciudad de México, según Perissinotto (1975).

En ciertos dialectos, característicamente en el castellano de Chile (v. Canfield, 1962, Oroz, 1966) la articulación de /x/ delante de no retraída resulta notablemente anterior (según algunos, alveolar inclusive) realización que aquí transcribimos [c']. Tan anterior es dicha articulación que los hablantes de dialectos que no tienen el fenómeno, les parece escuchar (y así lo imitan) una deslizada palatal epentética en la secuencia /xe/, e. gr., en [c'ente], que perciben y repiten como [xi̯énte].

Con respecto a /x/, es tradicional efectuar una gran división entre todos los dialectos americanos, en el sentido de que aunque muchos dialectos presentan este segmento en su inventario fonemático, otros, se afirma, tienen en su lugar una fricativa laríngea o simple aspiración, /h/. La cuestión, sin embargo, no es tan simple. Ya Navarro Tomás (1965: 142) había notado en su Manual que en la pronunciación relajada «la *j* ... llega a reducirse a una simple aspiración». Traducido a nuestra terminología, /x/ del castellano-TNT tiene un alófono [h].

Por otra parte, Resnick (1975: 39) ha observado que existe en el costarricense un segmento que siendo más débil que [x] de otros dialectos americanos, es sin embargo más fuerte que la simple aspiración (que él denomina faríngea, como hacen otros dialectólogos, p. ej. Canfiel (1962)). Ahora bien, el costarricense se clasifica (e. gr., por Canfield (1962)) entre los dialectos que tienen /h/ en vez de /x/. Si la observación de Resnick es acertada, y creemos que lo es, en el costarricense /h/ tiene un alófono [x], precisamente el inverso de lo que ocurre en el castellano-TNT.

Algo similar a la situación costarricense se da en el dialecto colombiano descrito por Flórez, Montes y Figueroa (1969) y en el habla yucateca descrita por Alvar (1969), donde nota este último que «la *j* [queriendo decir [x] centro-norteña] es desconocida» y que la aspiración «es de carácter faríngeo ante *a, o, u*», agregando que aparecen en pronunciación enfática sonidos «intermedios» entre velares y aspirados que Alvar transcribe [h^x] o [x^h].

Todo lo anterior sugiere que es tal vez mejor decir que en la lengua castellana en general (incluyendo tanto las hablas americanas como las peninsulares) existe a nivel fonemático un segmento *fricativo sordo posterior* que tiene alófonos *orales* (velares y palatales) en cuya producción interviene el dorso de la lengua y alófonos *sub-orales* (glotales y tal vez faríngeos —con estrechamiento de la cavidad faríngea—) y que en algunos dialectos predominan —son más frecuentes— las realizaciones orales y en otros las sub-orales. En los dialectos que tienden a conservar la articulación oral de las consonantes como el castellano-TNT y otros dentro de la modalidad peninsular centro-norteña, pero también como ciertos dialectos americanos —p. ej. los de las sierras ecuatorianas y peruanas o de la altiplanicie mexicana— predominarán las realizaciones orales, mientras que en los dialectos que tienden a no efectuar los gestos orales correspondientes a las consonantes (v. infra) como las hablas antillanas o las de la modalidad peninsular meridional, predominarán las realizaciones sub-orales, sin estar ausentes realizaciones velares y hasta palatales. La correlación sin embargo no es tan exacta: hay dialectos que no siendo de consonantismo conservador, e. gr., el castellano de Chile, presentan sin embargo predominio de realizaciones orales (prepalatales y velares) de /x/.

En todo caso las denominaciones *dialectos con /x/* y *dialectos con /h/* se referirían al predominio estadístico de las realizaciones orales o sub-orales respectivamente.

Queda por determinar empíricamente si todas las realizaciones denominadas [h] son puramente glotales, o sea, consisten en el simple paso del aire por una glotis más estrecha que en la pronunciación normal, o algunas son faríngeas y la fricación que se escucha se debe al estrechamiento de la faringe (o tal vez al acercamiento de la raíz de la lengua a la pared faríngea).

Con respecto a [h], conviene señalar que su presencia implica intersección fonemática en los dialectos con /h/ en los que también se aspira /s/, por ser igualmente alófono de este último fonema. En el cubano, p. ej., donde hay /h/ y además aspiración, pueden resultar homófonas las frases *los unta* y *lo junta* si en la primera /s/ se aspira en vez de realizarse alveolar o de elidirse y en la segunda el segmento inicial de *junta* es un alófono glotal de la fricativa sorda posterior subyacente y hay además el resilabeo característico del habla corriente, realizándose ambas frases [lohúnta]. Pero la homofonía no lleva normalmente a la confusión semántica, pues el contexto permite al hablante remitirse a las representaciones fonemáticas, que son /los unta/ para la primera frase y /lo hunta/ para la segunda. El hablante sabe inconscientemente que en el primer caso [h] es /s/ y que en el segundo [h] es /h/.

3.16. De la pronunciación de las consonantes posnucleares

Los dialectos del castellano pueden dividirse en dos grandes grupos atendiendo a la forma en que se pronuncian (o dejan de pronunciarse) las consonantes posnucleares. Se ha utilizado más de una vez el término 'dialectos de consonantismo débil' para referirse a aquellos en que ciertas consonantes posnucleares se eliden o se pronuncian de modo muy distinto a sus realizaciones prenucleares, y 'dialectos de consonantismo fuerte' para designar aquellos en que las consonantes posnucleares suelen mantenerse y pronunciarse muy parecidas a sus realizaciones prenucleares.

La dicotomía nos parece inadecuada. Por una parte las consonantes castellanas en general tienden a ser más breves y menos tensas en posición posnuclear en el habla normal, y algunas se eliden incluso en dialectos clasificados como de consonantismo fuerte. Considérese p. ej. la elisión de /s/ delante de /r̄/ en el castellano-TNT ([ir̄aél] por *Israel,* [ér̄amón] por *es Ramón,* etc.) y la elisión de /p, t, k/ posnucleares preconsonantales en el mismo dialecto ([asolúto] por *absoluto,* [alántiko] por *Atlántico,* [tás̆i] por *taxi,* etc.). Por otra parte, en dialectos considerados como de consonantismo débil no se dan esas elisiones, aunque sí otras.

Es conveniente señalar que hasta la fecha no se ha medido empíricamente el grado relativo de energía articulatoria que emplean los hablantes de unos y otros dialectos en las realizaciones posnucleares. No se sabe, por ejemplo, si la variante aspirada de /s/ es siempre más débil que la variante sonora [z] de los dialectos de consonantismo 'fuerte' o si la nasal alveolar de final de locución es más fuerte o más débil que la velar que numerosos hablantes prefieren en la misma posición.

Precisamente por esa falta de datos sobre el grado de esfuerzo articulatorio, optamos por utilizar un criterio fonológico en vez de fonético en la clasificación de los dialectos con respecto al consonantismo posnuclear. Preferimos decir que ciertos dialectos se caracterizan por presentar una distancia relativamente mayor entre la representación fonética de las consonantes posnucleares y su representación fonemática, mientras que en otros dialectos esa distancia es relativamente menor, dándose en los primeros más casos de intersección fonemática que en los segundos.

3.17. Dialectos conservadores y dialectos radicales

Proponemos que se denomine *dialectos de consonantismo posnuclear radical* o simplemente *dialectos radicales* a aquellos en que la distancia entre lo fonemático y lo fonético puede ser relativamente grande, y *dialectos de consonantismo posnuclear conservador* a aquellos en que dicha distancia es relativamente menor. Subrayamos que con lo de 'radical' y 'conservador' nos referimos únicamente al comportamiento consonántico posnuclear.

A modo de ilustración contrástese la alofonía de /s/ en un dialecto radical como el habanero con la alofonía del mismo segmento en un dialecto conservador como el de la ciudad de Salamanca. En habanero se aspiran en posición posnuclear tanto /s/ como /f/, e. gr., [éhto] por *esto,* [dihtéria] por *difteria,* etc., con lo que resulta intersección fonemática. En salmantino, /s/ posnuclear se realiza alveolar: [ṡ] o [ż] según haya o no asimilación de sonoridad, e. gr., [éṡto] por *esto,* [miżmo] por *mismo;* y /f/ no se aspira: [diftéria]. No hay intersección fonemática, ya que [ż] nunca es alófono de /f/. Además la distancia fonológica entre /s/ y [ż] es menor que entre /s/ y [h] (o entre /f/ y [h]: [ṡ] y [ż] son idénticos salvo en sonoridad, pero [s] y [h] son bastante distintos: [h] no tiene ninguno de los rasgos supraglotales de /s/, coincidiendo únicamente en ser fricativos y sordos.

Son dialectos radicales las hablas antillanas (cubano, dominicano, puertorriqueño) y de la zona del Caribe en general, que además de los países antillanos comprende Panamá, costa de Venezuela y costa atlántica de Colombia. Sin embargo, ninguno de los fenómenos que llevan al distanciamiento entre las representaciones subyacentes y las fonéticas en esas hablas se da exclusivamente en las mismas: todos se manifiestan en otros lugares del mundo hispánico.

Es teoría muy aceptada la de que los dialectos de consonantismo posnuclear radical están emparentados históricamente con el andaluz (v. capítulo 7 de este volumen). El andaluz moderno es también radical.

Entre los dialectos de consonantismo posnuclear conservador pueden contarse, entre otros, los de las sierras peruanas, ecuatorianas y bolivianas. En el dominio hispanoamericano hay una gran correspondencia entre el conservadurismo posnuclear y las llamadas 'tierras altas', como lo hay entre el radicalismo posnuclear y las llamadas 'tierras bajas', principalmente las zonas costeñas (ver capítulo 7).

3.18. Principales fenómenos fónicos del consonantismo posnuclear radical: su verdadero contexto

A grandes trazos puede decirse que el radicalismo posnuclear se caracteriza por la frecuente manifestación, en el habla espontánea rápidorrelajada de dos fenómenos generales, uno de carácter fonético que afecta a las consonantes no líquidas, es decir a las obstruyentes y nasales, y otro de carácter fonológico que afecta a las líquidas /l/ y /r/ (recuérdese que /r̃/ no aparece en posición posnuclear a nivel fonemático). Esos dos fenómenos generales son:

1) *La posteriorización de obstruyentes y nasales,* es decir, su realización o como velares o como laríngeas (y tal vez faríngeas).

2) *La neutralización fonética de las líquidas,* es decir, la pronunciación de /l/ y /r/ como el mismo segmento fonético.

Un tercer proceso es la elisión, o supresión total del segmento consonántico posnuclear. La elisión afecta a todas las consonantes, tanto obstruyentes como inobstruyentes (líquidas y nasales). Es preciso señalar que la elisión se manifiesta con mayor frecuencia a final de palabra y de locución y menos en posición interna de palabra (que siempre es preconsonantal dada la estructura de la sílaba castellana) donde son más frecuentes los otros dos procesos, según el tipo de consonante de que se trate.

Es conveniente agregar que el contexto de las reglas de posteriorización y de las que llevan a la neutralización fonética de /l/

y /r/ es *la posición posnuclear dentro de la palabra a nivel subyacente* y no a nivel de locución, lo que explica por qué los fenómenos indicados ocurren a pesar de no estar la consonante en posición posnuclear a nivel patente cuando sí está a final de palabra. Por ejemplo la aspiración de /s/, que es un caso de posteriorización ([h] es glotal), ha tenido lugar en la pronunciación [báhakomér] por *vas a comer*. A nivel de locución /s/ no sería posnuclear, pues la división silábica sería ba-sa-ko-mer. Nótese que el resilabeo, que se aplica después de la 'transformación' de /bas/ subyacente en [bah] dando ba-ha-ko-mer, es lo que hace que dicha locución resulte homófona con *baja a comer* en los dialectos que tienen /h/ en vez de /x/. En la realización de la segunda locución se aplica también por supuesto la fusión vocálica en el mismo estilo fónico en que se aspira /s/ (esto es /baha a komer/ → [báhakomér]).

3.19. Casos de posteriorización de obstruyentes posnucleares

En el dominio hispanoamericano pueden encontrarse las siguientes manifestaciones de posteriorización de obstruyentes posnucleares:

1) La aspiración, no sólo de /s/ *(lo*[h]*e*[h]*tudio)* sino también de /f/ *(di*[h]*teria, fiebre a*[h]*tosa, a*[h]*gano)* y de /r/ *(ca*[h]*ne, O*[h]*lando)*.

2) La realización, a veces como velar y a veces como glotal, de /p, t, b, d/, e. gr., *conce*[K]*to* o *conce*[?]*to, é*[K]*nico* o *é*[?]*nico, su*[K]*marino* o *su*[?]*marino, a* [K]*mitir* o *a*[?]*mitir*. en que [K) representa una velar laxa que puede ser lo mismo ensordecida que sonorizada y con distintos grados de oclusión o inoclusión.

3) La glotalización acompañada de geminación como variante lo mismo de /s/ ([ét?to] por *esto*, [dé?de] por *desde*, [lob?bóta] por *los bota*, [log?gáto] por *los gatos)* que de otras obstruyentes [át?ta] por *acta*, [kát?ta] por *capta*, [ad?domen] por *abdomen*.

3.20. Teoría de la posteriorización de obstruyentes

¿En qué consisten exactamente los fenómenos de laringealización (aspiración y glotalización considerados en conjunto) y de velarización? Creemos que la laringealización puede caracterizarse adecuadamente apelando a lo que denominaremos *teoría poligestual de la pronunciación* (v. Chela Flores, 1980, cf. Goldsmith, 1981).

En la teoría poligestual se ve la pronunciación como una orquestación de gestos llevados a cabo por los distintos órganos de la fonación. Algunos de los gestos se relacionan con los hechos suprasegmentales del tono (mayor o menor tensión y longitud de las cuerdas vocales) y de la acentuación (mayor o menor volumen espiratorio). En cuanto a lo segmental la producción de cada segmento se compone de gestos efectuados a tres distintos niveles, hasta cierto punto independiente entre sí, pero relacionados en lo fonológico:

1) El *nivel oral,* donde los gestos son las distintas acciones combinadas de los labios, la lengua y el maxilar inferior (incluyendo la *no* intervención de la lengua en los segmentos bilabiales).

2) El *nivel nasal,* que *no* se refiere a lo que sucede en la cavidad nasal —órgano inmóvil—, sino a la acción del velo, que desciende como se sabe en los sonidos nasales y asciende en los orales.

3) El *nivel laríngeo,* donde los gestos son las distintas acciones de las cuerdas vocales.

3.21. Los gestos laríngeos

Conviene destacar tres tipos de gestos que se dan a nivel laríngeo en el consonantismo posnuclear:

1. La sordez, en que las cuerdas levemente separadas no vibran, pero se produce, al pasar el aire espirado por una abertura glotal relativamente estrecha, la fricación simbolizada [h]y denominada 'simple aspiración'; o sea que, como ya se ha dicho, la aspiración equivale a la sordez.

2) La sonoridad, producida al vibrar las cuerdas juntas en toda su extensión.

3) La oclusión implosive simple de las cuerdas, u oclusiva glotal, hecho que se simboliza [?]. Si un segmento aparece acompañado de [?] dícese que se ha glotalizado.

3.22. Descripción poligestual de la aspiración

En la teoría poligestual la pronunciación de la variante asibilada de /s/, esto es la fricativa apicoalveolar sorda, puede representarse como sigue:

gestos a nivel oral: apicalidad, alveolaridad, estrechez acanalada, etc.;
gestos a nivel nasal: velo alzado;
gestos a nivel laríngeo: estrechez glotal (o sea, sordez).

En el mismo marco teórico lo que llamamos 'aspiración de /s/' consiste sencillamente en la supresión de los gestos orales correspondientes a [s], de modo que el alófono de /s/ que transcribimos [h] puede representarse así:

gestos:
a nivel oral: ninguno;
a nivel nasal: velo alzado;
a nivel laríngeo: estrechez glotal = sordez = [h].

La teoría poligestual proporciona una explicación muy clara y sencilla de por qué se 'aspira' /f/ también. La representación de la realización labiodental sería:

gestos:
a nivel oral: aproximación del labio inferior a los incisivos con estrechez hendida;
a nivel nasal: velo alzado;
a nivel laríngeo: estrechez glotal = sordez = [h].

En cambio la realización aspirada resulta igual que la de /s/, con supresión de los gestos orales.

En cuando a /r/ lo que se aspira no es propiamente la vibrante sino su realización fricativa ensordecida [ŕ], la que comparte con los alófonos orales de /s/ y /f/ el gesto de estrechez glotal a nivel laríngeo.

3.23. Descripción poligestual de la glotalización

Dentro del marco poligestual debe suponerse que una oclusiva implosiva oral presenta a nivel laríngeo iguales rasgos de oclusión e implosión. Por ejemplo en [séptimo] lo que transcribimos [p] puede representarse así:

gestos:

a nivel oral: se juntan los labios implosivamente;
a nivel nasal: velo alzado;
a nivel laríngeo: se juntan las cuerdas implosivamente = [?].

Si se suprimen los gestos orales, como sucede en la aspiración, el resultado es [sé?timo], pronunciación que efectivamente puede escucharse en los mismos dialectos que aspiran las fricativas.

3.24. Descripción poligestual de la geminación glotalizada

Vemos cómo puede describirse dentro del marco poligestual la geminación glotalizada que aparece tanto como variante de /s/ como de otras obstruyentes.

En la pronunciación [ét?to] por *esto,* teorizamos que suceden los hechos siguientes:

1) Se suprimen absolutamente todos los rasgos correspondientes a /s/, incluyendo el gesto laríngeo de sordez; en otras palabras, se elide /s/.

2) En el vacío temporal creado por la ausencia fonética de /s/, los órganos de la articulación oral se adelantan a formar en oclusión implosiva la consonante que sigue a /s/ en el plano fonemático, es decir /t/, resultando [t] implosiva.

3) Esa oclusión implosiva se da también a nivel laríngeo, resultando la glotalización que se percibe.

4) A continuación tiene lugar la fase explosiva de la consonante oral, esto es, [t] explosiva.

Debe observarse que en los casos de geminación glotalizada en que la consonante que seguía a /s/ elidida es /b, d, g/ aparecen los alófonos oclusivos de dichos fonemas y nunca los fricativos, como en las pronunciaciones [éb?boníto] por *es bonito,* [éd?dúro] por es *duro* y [ég?gránde] por *es grande,* que pueden escucharse, p. ej., entre puertorriqueños. Son precisamente las realizaciones oclusivas y no las fricativas las que deben esperarse si el análisis que hemos propuesto es correcto.

3.25. Sobre la aspiración sonora

Detengámonos un momento en el fenómeno llamado de la aspiración sonora, simbolizado [ ], variante dc /s/ que aparece delante de consonantes sonoras, como en [mí mo] por *mismo*. El término 'aspiración sonora' parecería una contradicción en términos si es que aspiración, como hemos visto, equivale a simple sordez. Pero en dicha realización el gesto a nivel laríngeo no es la aspiración sino el *murmullo,* que consiste, como se explicó en 2.7, en la leve vibración de las cuerdas aproximadas pero no unidas. Sigue habiendo estrechez glotal y por tanto fricación, pero además por haber vibración se produce un efecto acústico muy parecido al de la sonoridad. Tal vez puede describirse el murmullo como un gesto de transición entre la sordez y la sonoridad.

3.25. Hipótesis sobre la velarización

En el marco poligestual podría describirse el fenómeno de la velarización o realización velar de /p, b, t, d/ diciéndose que el gesto oral de bilabialidad en el caso de /p, b/ y el de dentalidad en el caso de /t, d/ se reemplaza por el de velaridad. Pero tal descripción no explica absolutamente nada y equivale a repetir con otra terminología lo que dicen las descripciones no poligestuales.

Sobre el origen de la velarización existe una hipótesis basada en el llamado *principio del menor esfuerzo* en la que la producción de segmentos velares se considera menos complicada desde el punto de vista muscular que la de segmentos orales no posteriores (v. Chela Flores, 1980). Según dicha hipótesis, la velarización constituye un escalón intermedio en un proceso de debilitamiento progresivo de las consonantes posnucleares que culmina en la elisión de las mismas. La laringealización a su vez, como proceso menos complejo que la velarización, se encuentra entre ésta y la elisión en la misma escala de debilitamiento.

Para el grupo /p, b, t, d/, o de obstruyentes anteriores inestridentes (característica esta última que utilizamos para diferenciar esos segmentos de /s/ y /f/) se espera que tenga lugar la siguiente progresión diacrónica:

No velar → velar → glotal → elisión

La hipótesis predice por ejemplo que la pronunciación de *séptimo* tendería a evolucionar como sigue:

[séptimo] → [séKtimo] → [se?timo] → [sétimo]

La hipótesis resulta hasta cierto punto atractiva, ya que da cuenta también de la tendencia a velarizar las nasales en los mismos dilectos en que se velarizan /p, b, t, d/. La hipótesis sin embargo no da cuenta de otros hechos, principalmente el de que no se produzca paralelamente la velarización de las fricativas sordas —especialmente /s/— como paso intermedio entre la realización oral y la laríngea. Aunque se reportan casos de [x] como alótono de /s/, e. gr., [móxka] por *mosca,* [éxte] por *este* (ver Comisión de Lingüística Iberoamericana 1973: 45), se trata al parecer de un fenómeno sumamente esporádico. En estudios cuantitativos en que se ha calculado la frecuencia de las diferentes variables de /s/ para un número relativamente elevado de las manifestaciones de este fonema no se registra nunca que una de las variables más conspicuas sea [x]. (V. p. ej. Cedergren, 1973, Terrell, 1979, Poplack, 1979— estos autores, que han contado literalmente miles de realizaciones de /s/, no recogen ni un solo caso de /s/ → [x].)

No existe además hasta la fecha evidencia empírica concluyente de que la articulación velar involucre menor esfuerzo muscular que las articulaciones más anteriores.

Guitart (1981) ha propuesto una hipótesis sobre la velarización en la que no se apela a consideraciones de esfuerzo articulatorio. Según Guitart, la velarización surge al interpretar los hablantes constantemente como velares segmentos que en realidad son laríngeos, ello debido a la gran similtud fonética entre laríngeas y velares.

La hipótesis puede ejemplificarse así: el hablante A pronuncia *séptimo* como [sé?timo], con supresión de los gestos orales como supone la teoría poligestual; el hablante B, que escucha a A, percibe [sé?timo] como [séKtimo] y así lo pronuncia más tarde. Se trata de una hipótesis que podría confirmarse o desconfirmarse empíricamente presentando realizaciones glotales a oyentes y comprobar si efectivamente las perciben como velares.

Ciertos datos interlinguales e interdialectales parecerían apoyar la hipótesis de Guitart. Los hablantes de lenguas sin fonemas laríngeos perciben las laríngeas de otras lenguas como velares. Por ejemplo los castellanohablantes que no tienen /h/ como fonema interpretan la /h/ glotal del inglés como [x] y malpronuncian por ejemplo [xárd] por *hard* 'duro'. En Cuba los dialectos occidentales como el habanero presentan en su consonantismo la geminación glotalizada de líquidas (fenómeno que analizamos en detalle más adelante), dándose p. ej. la pronunciación [kab?bón] por *carbón;* pero los dialectos orientales de la misma isla, por ejemplo el santiaguero (de Santiago de Cuba), no tienen ese fenómeno. Los hablantes santiagueros, al remedar la pronunciación de los habaneros, dicen [kagbón] por *carbón* y hacen hincapié en la presencia de [g] como rasgo a ridiculizar.

Los pocos casos en que [x] aparece representando a /s/ —ya hemos mencionado los ejemplos [móxka] y [éxte]— pueden imputarse a la confusión perceptual entre [h] y [x]. El hecho de que la realización velar de /s/ aparezca tan poco en comparación con la de /p, t, b, d/ se debe muy posiblemente a que en posición implosiva no aparece en los mismos dialectos a nivel fonemático una fricativa velar sorda con la que podría confundirse [h]; en cambio sí aparecen las obstruyentes velares no fricativas /k/ y /g/ suponemos que /g/ no es ni oclusiva ni fricativa a nivel fonemático), semejantes ambas acústicamente a [?].

3.26. Posteriorización de nasales posnucleares: datos e hipótesis

En estudios dialectológicos tradicionales de tipo impresionista se ha registrado siempre la presencia en numerosas hablas americanas de la nasal velar [ŋ] en posición final de palabra (e. gr., *jabó*[ŋ]) y en posición interna de palabra aun delante de consonante no velar (*ca*[ŋ]*ta*[ŋ]*do, e*[ŋ]*frente,* etc.) donde otros dialectos presentan asimilación a la consonante que sigue (*ca*[n]*ta*[n]*do, e*[m]*frente,* etc.). En estudios recientes donde se ha calculado con exactitud la frecuencia de las diversas manifestaciones de las consonantes nasales en posición posnuclear, se ha comprobado que ni la asimilación está ausente de los dialectos radicales ni la velarización es la realización más frecuente en todos los dialectos radicales, aunque sí lo es en algunos (v. Cedergren, 1973, Terrell, 1975, Poplack, 1979a).

Además de la variable velar y la asimilada se han registrado como manifestaciones en dialectos radicales la elisión de la consonante nasal con nasalización de la vocal precedente, e. gr., [ẽtõse] por *entonces* (donde el símbolo '˜' denota nasalización) y la elisión total, donde ni siquiera se registra nasalización en la vocal precedente, e. gr., *ellos está*[∅] *conmigo*. Tampoco faltan de los dialectos radicales las realizaciones con alveolar no asimilada a final de la palabra (v. Poplack, 1979 a).

Dentro de la teoría del debilitamiento progresivo de las consonantes posnucleares se supone que la velarización de nasal sea un estadio más avanzado que la asimilación, pero menos avanzado que la simple nasalización de la vocal precedente, fenómeno este último que a su vez precede a la elisión total de la nasal en la evolución diacrónica. Tal teoría predice que la pronunciación de por ejemplo *once* evolucionaría del modo siguiente:

[ónse] → [óŋse] → [ố̃se] → [óse]

Sin embargo esta progresión evolutiva dista mucho de estar cumpliéndose regular e inexorablemente en todos los dialectos americanos de consonantismo posnuclear radical, y en ciertos casos no es de ningún modo paralela a la posteriorización de /s/. En primer lugar, aunque en algunos dialectos predominan las realizaciones de vocal nasalizada, p. ej. en el panameño descrito por Cedergren (1973), en otros predominan las realizaciones velares, por ejemplo en el cubano descrito por Terrell (1975). En segundo lugar, hay hablantes radicales que teniendo un alto grado de realizaciones de obstruyentes, presentan para las nasales más realizaciones asimiladas que velarizadas. Por ejemplo los hablantes puertorriqueños de Filadelfia estudiados por Poplack (1979a) presentan, de un total de 1.970 nasales posnucleares registradas en interior de palabra, 1.515 casos de asimilación (85 %) y únicamente tres casos de velarización (0,2 %) (v. Poplack 1979a: 115).

Subrayando la falta de paralelismo entre el «debilitamiento» de /s/ y el la nasal, añadimos que en un dialecto radical —el puertorriqueño de Jersey City estudiado por Ma y Herasimchuk (1971)— se encontró que la nasal velar es tan frecuente en la lectura de textos como en el habla espontánea, mientras que la aspiración de /s/ es mucho más elevada en el habla espontánea que en la lectura.

Debe agregarse además que no se ha registrado hasta ahora ningún dialecto en que predomine el cero fonético, es decir, la elisión total, como variante de la nasal.

Como ya se ha anticipado, en la teoría del debilitamiento progresivo basada en el principio del menor esfuerzo (Chela Flores, 1980), se ve la nasal velar como un segmento más fácil de articular que las realizaciones no velares. Cabe preguntarse si no es más fácil dejar los órganos en el mismo punto de articulación durante una secuencia homorgánica de nasal y consonante que moverlos de la posición no velar a la velar en la secuencia nasal velar-obstruyente no velar. De todos modos no existe ninguna evidencia empírica de que la nasal velar sea efectivamente más fácil de realizar que la alveolar o la bilabial o la palatal, etc. Principalmente por esa falta de evidencia preferimos aquí no apelar a consideraciones de menor esfuerzo articulatorio en el análisis de la velarización de nasal.

3.27. Interpretación poligestual de los fenómenos nasales posnucleares

Adoptamos aquí en cambio la hipótesis bosquejada en Guitart (1981) de que el origen de la nasal velar es semejante al de las obstruyentes velares que aparecen en posición implosiva como variantes de /p, b, t, d/ y se debe, como aquéllas, a la confusión perceptual entre laríngeas y velares que efectúan los oyentes.

Dentro de esta hipótesis, y apelando al análisis poligestual, las nasales —al igual que les sucede a los obstruyentes— pierden sus rasgos orales sin perder la nasalidad ni el rasgo laríngeo correspondiente que es la oclusión implosiva, [ʔ]. La nasal laringealizada paralela a las laríngeas no nasales [h] y [ʔ] podría representarse [ʔ̃], puesto que en ellas se da la combinación de oclusión glotal y nasalización. Una representación más clara de este segmento es como sigue:

gestos:
a nivel oral: ninguno;
a nivel nasal: velo descendido (= nasalidad);
a nivel laríngeo: oclusión implosiva ([ʔ]).

Los dialectólogos que han estudiado hablas hispánicas donde las nasales se posteriorizan con frecuencia, suelen referirse a la dificultad de distinguir entre los casos de nasal velar [ŋ] y los de elisión con nasalización de la vocal precedente, [Ṽø]. Creemos que lo que es difícil de percibir es la diferencia entre la 'nasal glotalizada', [ʔ̃] y la nasal velar, y esa semejanza acústica es precisamente la causa de que en esas hablas aparezcan nasales velares no homorgánicas en el contexto posnuclear. Es decir, p. ej. el hablante A pronuncia *anda* como [áʔ̃da], con supresión de los gestos orales de /n/; el hablante B percibe [ʔ̃] como [ŋ] y así la pronunciará más tarde. Como sucede en el caso de las obstruyentes, este 'reanálisis' se ve reforzado por el hecho de que en los mismos dialectos puede aparecer [ŋ] en posición posnuclear, aunque sea como parte de la asimilación homorgánica a una obstruyente velar subsiguiente, como en *ci*[ŋk]*o* o *ve*[ŋg]*a*.

Veamos ahora el análisis poligestual de la asimilación nasal homorgánica y cómo se diferencia de la posteriorización (laringealización) de nasal. Considérese lo que sucede según la teoría poligestual en la asimilación de /n/ a /p/ en la frase *en Perú,* transcrita tradicionalmente [emperú]:

1) Se suprimen los gestos tanto orales como laríngeos correspondientes a /n/, efectuándose únicamente el gesto a nivel nasal de dejar el velo descendido.

2) En el vacío fonético creado por la ausencia de rasgos a nivel oral y laríngeo, los órganos de la articulación se adelantan a formar en oclusión implosiva la consonante que sigue a /n/ en el plano fonemático, en este caso /p/; y a nviel laríngeo se da también oclusión implosiva.

3) A continuación ocurre la fase explosiva de la misma consonante.

De modo que la asimilación de nasal consiste (como la geminación de obstruyentes) en dos fases orales, una implosiva y otra explosiva, *de la misma consonante,* con superposición a la primera fase del rasgo de nasalidad. La diferencia entre la asimilación y la laringealización de nasal radical es que en esta última (interpretada más tarde por los oyentes como velarización) lo único que se suprmime son los gestos orales, quedando el gesto consonántico de implosión laríngea, lo que al parecer impide el adelantamiento de los gestos orales de la consonante que sigue: ya hay una consonante en ese espacio fonético.

3.28. Resumen de la posteriorización

Sin entrar en consideraciones de relativo esfuerzo muscular, puede decirse en términos de la teoría poligestual que ciertas hablas dentro de la lengua castellana, precisamente las que hemos denominado dialectos de consonantismo posnuclear radical, *manifiestan una propensidad a suprimir los gestos orales de toda consonante posnuclear no líquida, ya obstruyente, ya nasal.*

La posteriorización originalmente equivale en el caso de las obstruyentes a limitarse a los gestos laríngeos y en el caso de las nasales a dejar, junto al gesto laríngeo de oclusión implosiva, el gesto nasal de velo descendido.

Hay casos en que los hablantes suprimen no sólo los gestos orales de una nasal sino también el propio de la nasalidad, dejando únicamente el gesto laríngeo de oclusión implosiva, que luego los oyentes interpretan como velar, así, p. ej., las realizaciones [í?no] y [kolú?na] por *himno* y *columna,* luego pronunciadas [íKno] y [kolúKna] (v. Chela Flores, 1980).

En el contexto posnuclear preconsonantal, la elisión de todos los gestos correspondientes a una obstruyente lleva al adelantamiento implosivo de la consonante subsecuente. En el caso de las nasales la elisión de todos los gestos menos el nasal lleva también a ese adelantamiento implosivo que se denomina tradicionalmente 'asimilación homorgánica'.

3.29. La posteriorización prenuclear

Antes de proceder al análisis de los demás fenómenos del consonantismo posnuclear, creemos conveniente intercalar aquí mención de que la supresión de gestos orales con mantenimiento de los laríngeos en la pronunciación de ciertas consonantes no está limitado a lo posnuclear sino que tiene lugar también delante del núcleo. En algunos dialectos el fenómeno —que es seguramente de naturaleza variable— parece afectar únicamente a /s/. En dialectos antillanos se recogen, p. ej., las pronunciaciones [nohótro] por *nosotros,* [ẽtõhe] por *entonces.* En otras hablas también se aspira /f/ prenuclear y así se escucha p. ej. [huérte] por *fuerte,* [tohérina] por *tos ferina* (con posteriorización además de /s/ posnuclear o inclusive elisión de ese segmento), [híhese] por *fíjese,* [haβór] por *favor.* El fenómeno lleva a ultracorrecciones como [f]*abón* por *jabón,* *o*[f]*al* por *ojal,* etc. (V. Flórez, 1965). Es decir, un hablante inculto que tenga en su inventario la regla '/f/ → [h] en posición prenuclear', al escuchar p. ej. [ohál] en boca de otro hablante, interpreta que la representación subyacente es /ofal/.

Curiosamente en ciertas hablas, p. ej. el dialecto colombiano de Antioquía, se da al mismo tiempo la aspiración prenuclear de /f/ y /h/ pero el normal mantenimiento de los rasgos orales de esos fonemas en posición posnuclear, y así el mismo hablante puede decir (se trata seguramente de un proceso variable) [hákas] por *sacas* (y no *[hákah] o *[háka]), [háltas] por *faltas* (*[háltah], *co* [s]*tumbre* (tienen /s/ espesa o apical) pero [h]*o[s]tener,* *o*[f]*talmólogo* pero [h]*ilóso*[h]*o* (no sabemos si se da también [hilóhono] con aspiración además de /s/).

3.30. Neutrlización fonética de las líquidas

El otro gran fenómeno característico del consonantismo posnuclear radical lo es la neutralización fonética de /l/ y /r/. Recuérdese que por neutralización fonética se entiende el que dos fonemas puedan pronunciarse iguales en determinado contexto sin que a nivel subyacente desaparezca el contraste entre los mismos. El que la neutralización de /l/ y /r/ sea un fenómeno de carácter variable es la mejor prueba de que el contraste entre dichos segmentos no ha desaparecido del nivel fonemático. En otras palabras, si /l/ y /r/ se pronuncian a veces iguales y a veces distintos en posición posnuclear, el hablante los diferencia siempre en el plano psicológico o mental. El hablante que dice algunas veces [mál] y otras [már] por *mar* tiene —se postula— /mar/ a nivel fonemático y una regla fonológica en su gramática con el efecto de /r/ → [l].

Puede ocurrir sin embargo que un hablante llegue a pronunciar [l] por /r/ en *mar* en el 100 % de las apariciones de esa palabra, en cuyo caso lo que empezó como neutralización fonética ha devenido en lo que se llama *reestructuración léxica.* Para ese hablante la representación fonemática de *mar* es ahora /mal/

Otra posibilidad es la de que un hablante tenga /mal/ como representación de *mar* pero tenga además realizaciones con la vibrante. Sabríamos por ejemplo que la representación para él es /mal/ si escribiera invariablemente con *l* dicha palabra. ¿Por qué la pronuncia entonces a veces [már]? Si la misma persona —y esto es fenómeno corriente entre hablantes de poca instrucción— pronuncia a veces con vibrante palabras que se escriben (y se pronuncian) con /l/ en la lengua general —p. ej.. dice [piér] por *piel,* sobre todo en contacto con hablantes más instruidos— demuestra tener en su fonología una regla de ultracorrección con el efecto de /l/ → [r] y la inseguridad además de no saber si la representación fonemática de dicha palabra es /piér/ o /piél/.

Entre hablantes cultos la neutralización fonética de /l/ y /r/ no lleva normalmente a la reestructuración léxica, lo que puede imputarse a la alta conciencia que del código ortográfico tienen dichos hablantes.

Que sepamos, no se ha encontrado hasta ahora ningún dialecto americano en que la neutralización fonética de las líquidas posnucleares haya llevado a la reestructuración léxica en gran escala. Además, en los estudios dialectales de tipo cuantitativo, donde se han contado con precisión un alto número de realizaciones tanto de /r/ como de /l/ posnucleares, se ha comprobado la naturaleza variable de la neutralización, dándose más en los estilos menos influidos por la ortografía y menos en los más alejados de la influencia ortográfica (e. gr., en el habla espontánea sobre tópicos cotidianos).

3.31. Neutralización homofonética de líquidas

Hay en realidad dos tipos generales de neutralización de /l/ y /r/. En unos casos la neutralización se produce cuando uno de los fonemas se pronuncia igual o muy parecido al alófono 'básico' del otro —es decir al alófono más cercano en rasgos a la representación subyacente. A ese tipo de neutralización vamos a denominarla *neutralización homofonética.* Los dos fenómenos que llevan a la neutralización homofonética son:

1) *El lambdacismo,* o pronunciación lateral de /r/, como en [álte] por *arte.*
2) *El rotacismo,* o pronunciación vibrante de /l/, como en [piér] por *piel.*

3.32. Probable origen del lambdacismo y rotacismo

Como es bien sabido, en algunas lenguas, e. gr., el chino y el japonés, no existe el contraste entre /l/ y /r/; es decir, [l] y [r] no se perciben como diferentes segmentos a nivel psicológico, y es conocida la dificultad que experimentan los hablantes de esas lenguas en hacer la distinción cuando aprenden una lengua que sí la tiene.

La causa de que muchas lenguas no distingan fonemáticamente dentro del orden alveolar entre vibrante y lateral se debe, creemos, a la gran similitud fonética entre los dos segmentos en cuestión: además de articularse en el mismo lugar, ambos son inobstruyentes y sonoros.

En ciertos dialectos americanos se ha observado que existe un sonido híbrido entre [l] y [r] que puede aparecer como alófono ya de /l/ ya de /r/. Las características articulatorias de tal sonido no están que sepamos bien determinadas. Tal vez se trate, cuando es alófono de /r/, de una especie de '*r* lateralizada' en que el aire espirado se escapa por los lados durante la breve obstrucción característica de la vibrante; y cuando es alófono de /l/ puede ser que la oclusión alveolar sea tan breve como la que se da en [r], o sea que se trate de una especie de lateral con características de vibrante. Lo importante es la confusión perceptual que introduce esta realización media. Si /r/ suena como [l] y /l/ como [r], el hablante puede llegar a construir representaciones fonemáticas que se apartan de la lengua general (suposición que debemos a Tracy Terrell en comunicación personal) y decir *consistentemente en los estilos más lentos* lo mismo [kálpa] por *carpa* que [asúr] por *azul,* fenómeno atestiguado p. ej. por Navarro Tomás (1948) entre hablantes puertorriqueños. Igualmente la presencia de ese sonido híbrido puede causar vacilación y pronunciar el mismo hablante p. ej. [muérte] y [muélte], y también [golpe] y [górpe].

Aun entre hablantes instruidos, la constante presencia del segmento híbrido puede haber llevado al establecimiento de las reglas fonéticas [l] → [r] y [r] → [l] para ciertos estilos, precisamente aquellos menos influidos por la lengua escrita, estando por el contrario la aparición del segmento híbrido constreñida por la conciencia del código ortográfico en el habla menos espontánea y más autorregulada. En otras palabras, la confusión perceptual introducida por las realizaciones híbridas tanto de /l/ como de /r/ ha dado pie al lambdacismo y al rotacismo *como fenómenos variables.*

El lambdacismo y el rotacismo difieren de otros fenómenos del consonantismo posnuclear radical en el hecho de que la pronunciación de /r/ como [l] o de /l/ como [r] no involucra una simplificación de gestos articulatorios. La lateral no es más simple ni más compleja que la vibrante desde el punto de vista articulatorio.

La explicación que puede darse al predominio o del lambdacismo o del rotacismo en un dialecto determinado es que algunos hablantes interpretan normalmente las realizaciones híbridas como [l] mientras que otros hablantes las interpretan como [r]. Una tercera posibilidad es la de que los hablantes interpreten las realizaciones híbridas como [r] o como [l] de modo vacilante.

En resumen, tanto el lambdacismo como el rotacismo surgen, creemos, de la confusión perceptual introducida por la frecuente aparición de un segmento que suena al mismo tiempo a lateral y a vibrante. Los hablantes deben encajarlo o en la casilla perceptual 'vibrante' o en la casilla perceptual 'lateral' y así lo hacen, algunos con gran consistencia y otros con vacilaciones. Por otra parte, los hablantes más influidos por el código ortográfico construyen —o tal vez más propiamente, *reconstruyen,* después de alcanzar cierto nivel en la lectura— sus representaciones laterales fonemáticas a partir de la ortografía, y si tienen realizaciones laterales de /r/ o vibrantes de /l/, aun en los estilos más autorregulares, es porque la frecuencia de los alófonos híbridos les ha llevado al establecimiento del lambdacismo y rotacismo como procesos fonéticos automáticos, es decir, existen como reglas en la fonología de esos hablantes.

3.33. Neutralización heterofonética de líquidas

Al otro tipo general de neutralización de líquidas lo denominaremos *neutralización heterofonética.* Consiste en que tanto /l/ como /r/ están representados a nivel fonético por un segmento que nunca es vibrante y que en la gran mayoría de los casos no es tampoco ni lateral ni alveolar.

Las tres manifestaciones principales de neutralización heterofonética son *la vocalización, la retroflexión* y *la geminación.* Discutiremos por separado estos tres fenómenos.

3.34. Vocalización de líquidas

La vocalización (nombre tradicional dado al fenómeno) es la realización tanto de /l/ como de /r/ por un segmento vocálico pero asilábico, esto es, una deslizada, que en su realización más conspicua es prácticamente idéntica a la deslizada palatal [i̯]. Ejemplos son [kái̯ta] por *carta* y [ái̯to] por *lato.* La vocalización es característica pero no exclusiva de la región dominicana del Cibao (no es ni siquiera exclusiva del castellano de Santo Domingo, v. Jiménez Sabater, 1975).

En un estudio reciente, Rojas (1981) ha observado que en algunos casos aparecen manifestaciones híbridas de lateral y deslizada en el habla cibaeña. Y Golibart (1976) ha observado que la deslizada no siempre es [+ alta], siendo en algunos casos media, realización que Golibart transcribe [ə], notando la pronunciación [káəta]. Golibart, Rojas y otros autores han encontrado que la vocalización es un fenómeno variable, sujeto a variaciones estilísticas, apareciendo más en el habla espontánea que en la autorregulada.

La vocalización parece estar sometida además a ciertas restricciones fonológicas. En primer lugar no se da a final de palabra si la sílaba final es átona, teniendo lugar en cambio la elisión de la líquida, e. gr., [asúka], [ámba], [ópe], por *azúcar, ámbar, Opel* (la marca de automóvil) (cf. *[asúkai], *[ámbai], *[ópei]). Guitart (1980c) ha propuesto que ello se debe a la aplicación de la regla de estructura léxica, ya mencionada (v. 2.70), que prohíbe la aparición de deslizadas altas a final de palabras no oxítonas en el castellano en general.

En segundo lugar la vocalización no se da tampoco si la vocal delante de la líquida es /i/, ocurriendo en cambio elisión, e. gr., [fíme] por *firme,* no *[fii̯me]. Ello también obedece a una regla de estructura léxica general: no aparece en la lengua, dentro de un mismo vocablo, la secuencia [ii̯]. La misma restricción se manifiesta en ciertas formas verbales, e. gr., [morís], [salís], etc. (*morís, salís,* etc.), en vez de *[moríi̯s] *[salíi̯s], etc., como se supondría que fuese por la morfología al combinarse la raíz verbal (*mor-, sal-,* etc.) con la vocal temática *i* de la tercera conjugación y el sufijo *-is,* que marca la segunda persona del plural; compárese *compr-a-is, ten-e-is,* etc., de la primera y segunda conjugación.

Otra interesante restricción sobre la vocalización es que no se aplica ni al artículo *el* ni a las contracciones *al* y *del* ni a la preposición *por* cuando les sigue una palabra que empieza con vocal, aunque sí se aplica cuando les sigue una palabra que empieza con consonante, y así, e. gr., *e*[i̯] *verano* pero *e*[l] *amigo, po*[i̯] *fuera* pero *po*[r] *ahí,* etc. Dentro de nuestro marco teórico el fenómeno puede caracterizarse como sigue. En primer lugar —para los hablantes que tienen esas pronunciaciones— los artículos y las preposiciones no son palabras sino *clíticos,* y el silabeo a nivel fonemático de las combinaciones de palabras y clíticos sigue las pautas cuyo dominio es la palabra. Así, por ejemplo, la frase *por otro* se silabea *po-ro-tro* a nivel fonemático, siguiendo exactamente los mismos principios que determinan que el silabeo de, por ejemplo, *poroso* sea *po-ro-so.* En ese caso la líquida /r/ no está en posición posnuclear y no puede aplicarle la regla de vocalización. En cambio la frase *por correo* se silabea *por-co-rre-o* a nivel fonemático, y estando la líquida en posición posnuclear sí puede aplicarle la vocalización, resultando *po*[i] *correo.* (V. Alba, 1979; Guitart, 1980c.) Contrástese la pronunciación del artículo *el* con la del pronombre *él* en los dialectos que vocalizan. Los hablantes que dicen *e*[l] *aviso* dicen en cambio [éi̯] *avisa.* Pero es que *él* es una palabra independiente y dentro de ella la líquida está en posición posnuclear, dándose el contexto de la vocalización.

Por otra parte, si hay hablantes que pronuncian *el, al, por.* etcétera, con deslizada ante palabra que empieza con vocal, habría que considerar que para ellos tales palabras son eso, palabras, y no clíticos.

3.35. Neutralización de líquidas por retroflexión

En algunos dialectos, notablemente en ciertas hablas habaneras (v. Guitart, 1978), la representación fonética tanto de /r/ como de /l/ puede ser una consonante retrofleja, esto es, un segmento que se articula con la cara *inferior* de la lengua —no la lámina o cara superior—, ya adhiriéndola (oclusiva retrofleja), ya aproximándola (fricativa retrofleja) a una zona que podríamos llamar posalveolar. La retroflexión como representación de las líquidas tiene lugar únicamente delante de *consonantes coronales.* Una consonante coronal es aquella que se articula levantando la lámina o corona de la lengua por encima de la posición neutral (v. 2.55). Son coronales las dentales /t, d/, las alveolares /s, n/ y la alveopalatal /č/, siendo no-coronales las labiales, labiodentales, palatales y velares, y por supuesto también las laríngeas.

El fenómeno no se limita a la retroflexión de la líquida posnuclear: la consonante prenuclear siguiente también se pronuncia retrofleja. Ademá, la consonante posnuclear adopta el modo de articulación de la prenuclear con respecto al rasgo de *interruptidad.* Son interruptas —presentan interrupción del aire espirado como característica de su articulación— las consonantes nasales, oclusivas y africadas, siendo no-interruptas las consonantes fricativas, ya que en estas últimas el aire espirado no se interrumpe. En cuanto a las líquidas, que combinan interrupción con continuidad, el clasificarlas como interruptas o como continuas depende de su comportamiento fonológico. En el castellano-TNT o en el mexicano (v. Harris 1969), para citar dos ejemplo, /l/ debe clasificarse como interrupta y /r/ como continua, dado que después de la primera tiende a aparecer el alófono oclusivo (interrupto) de /b, d, g/ y después de la segunda el alófono fricativo (continuo) de los mismos fonemas. Lo que sucede en la retroflexión de líquidas sugiere por cierto que, para los hablantes que la practican, /d/ es interrupta, esto es, oclusiva.

Obsérvese a continuación la nómina de segmentos retroflejos y los contextos en que aparecen (en lo que sigue, la diéresis marca el carácter retroflejo de la consonante, y /L/ sirve para abreviar 'líquida', es decir, simboliza tanto a /l/ como a /r/):

[d̈]: oclusiva retrofleja sonora; representa a a) /L/ posnuclear delante de /t, n, c/ —las que también se representan por segmentos retroflejos— (v. a continuación); b) /L/ posnuclear en posición final absoluta, e. gr., abri[d̈] tanto por *abril* como por abrir; c) /d/ prenuclear después de /L/ retroflexionada, y así /Ld/ → [d̈ d̈], e. gr., *e*[d̈ d̈]*omingo* por *el domingo, se*[d̈ d̈]*omingo* por *ser domingo;*

[ẗ]: oclusiva retrofleja sorda; representa a /t/ prenuclear después de /L/ retroflexionada, o sea, /Lt/ → [d̈ ẗ], e. gr., *e*[d̈ ẗ]*ema* por *el tema, impo*[d̈ ẗ]*ante* por *importante;*

[n̈]: nasal retrofleja; representa a /n/ prenuclear después de /L/ retroflexionada, o sea, /Ln/ → [d̈ n̈], e. gr., *e*[d̈ n̈]*ovio* por *el novio, se*[d̈ n̈]*ovios* por *ser novios;*

[c̈]: africada retrofleja sorda; representa a /č/ después de /L/ retroflexionada, o sea, /Lč/ → [d̈ č̈], e. gr., *e*[d̈ č̈]*ino* por *el chino,* se[d̈ č̈]*ino* por ser *chino;*

[r̈]: fricativa retrofleja sonora; representa a /L/ delante de /s/ —segmento que también se retroflexiona— (v. a continuación);

[s̈]: fricativa retrofleja sorda; representa a /s/ prenuclear delante de [r̈], de modo que /Ls/ → [r̈ s̈], como en el *e*[r̈ s̈]*ábado* por *el sábado, se*[r̈ s̈]*ábado* por *ser sábado* (el timbre de [s̈] recuerda algo de [ṡ] o *s* apical 'espesa', tal vez por ser ambos coronales y posalveolares);

[l̈]: retrofleja lateral, representa a /r/ delante de /l/ prenuclear y al mismo tiempo a este último segmento, de modo que /rl/ → [l̈ l̈], como en *Ca*[l̈ l̈]*os* por *Carlos* (/l/ posnuclear delante de /l/ prenuclear no se retroflexiona, resultando simplemente la secuencia [l-l] o fusión en una sola líquida, e. gr., *a*[l l]*ago* o *a*[l]*ago* por al lago).

Como otros fenómenos del consonantismo posnuclear radical la retroflexión de líquidas es un proceso variable, siendo más característico p. ej. del habla espontánea que de los estilos más autorregulados.

Conviene precisar un poco más el contexto en que se aplica la retroflexión. No basta con decir que se da únicamente ante consonantes coronales sino que además estas últimas deben ir seguidas o de vocal o de deslizada. O sea, la retroflexión no tiene lugar delante de los grupos prenucleares /tr/ y /dr/. En ese contexto se da en cambio la geminación glotalizada de la coronal, e. gr., *e*[tʔt]*trabajo* por *el trabajo, e*[dʔd]*renaje* por *el drenaje,* etcétera.

3.36. Geminación glotalizada de líquidas

En la geminación glotalizada como neutralización heterofonética de /l, r/, en vez de aparecer la líquida ocurre geminación de la consonante que sigue, acompañada de glotalización. Acabamos de ver que es ésta la realización delante de los grupos /tr/ y /dr/ en las hablas que practican la retroflexión. Pero no es ese el único contexto en que se manifiesta el fenómeno, como veremos en un momento.

Analizando el proceso dentro del marco poligestual, diremos que en la geminación glotalizada de líquida sucede esencialmente lo mismo que en la geminación como variante de /s/, a saber:

1) La líquida se elide totalmente, es decir, se suprimen todos los gestos correspondientes a /l/ o /r/, tanto a nivel glotal como supraglotal (oral y nasal).

2) En el vacío causado por la ausencia de L, los órganos de la articulación oral se adelantan a formar en oclusión implosiva lac onsonante que sigue; a nivel laríngeo hay también oclusión implosiva, es decir, [ʔ].

3) Sucede luego la fase explosiva de la misma consonante.

En el habla culta de La Habana (v. Guitart, 1976) los hablantes practican la retroflexión de líquidas en el contexto /—/ [= Coronal] [— Consonante] (o sea, delante de coronal seguida de vocal o deslizada, como ya se vio), pero en los demás contextos, esto es, delante de /tr/, /dr/ y de no-coronal, efectúan en cambio la geminación y así dicen [kúbʔba] por *curva,* [epʔp]*roblema* por *el problema,* [púgʔga] *tanto* por *pulga* como por *purga,* [ey̌ʔy̌]-*amó* por *él llamó,* [sefʔf]*ino* por *ser fino,* etc.

Otros habaneros menos instruidos, en vez de practicar la retroflexión ante las coronales prevocálicas y la geminación en los demás contextos, efectúan este último proceso en todos los contextos, siga o no coronal, y así dicen, p. ej. *e*[tʔ]*acaño* por *el tacaño, se*[tʔt]*acaño* por *ser tacaño, e*[dʔd]*omingo* por *el domingo,* [podʔd]*onde* por *por donde,* [esʔs]*ábado* por *el sábado.* En este último caso no puede hablarse de oclusión implosiva, ya que [s] es siempre continua y algunos podrían decir que es mejor transcribir [eʔs:]*ábado,* donde los dos puntos indican alargamiento, o sea una sola *s* alargada en vez de dos. Lo cierto es que [e] en la misma frase resulta tan cerrada como su realización en una sílaba cerrada por /s/, y más cerrada que /e/ en sílaba abierta delante de /s/ (como en *de sábado).* Ello indica tal vez que la división silábica original se mantiene: la implosiva glotal y parte de la articulación de /s/ están a final de sílaba, resultando /s/ en efecto disilábica, por lo que preferimos la transcripción con geminación.

II. VOCALISMO

3.37. Generalidades

Dentro del vocalismo dialectal hispanoamericano no existe en realidad ningún fenómeno que caracterice a la modalidad americana en general frente a otras modalidades, como lo hace por ejemplo el seseo, ni existe tampoco ningún fenómeno que sirva para separar entre grandes grupos de dialectos dentro de la propia modalidad americana; no hay dentro del vocalismo nada comparable por ejemplo a la posteriorización o al yeísmo. La pronunciación de las vocales es, con contadas excepciones, bastante uniforme dentro del ámbito hispanoamericano. Se dan sin embargo interesantes diferencias sin mención de las cuales no estaría completa una dialectología hispanoamericana.

Dentro del vocalismo dialectal es preciso distinguir entre diferencias que alcanzan al plano subyacente y aquellas que se limitan al plano fonético. Empezaremos por examinar las primeras.

3.38. Diferencias vocálicas a nivel subyacente

Por diferencias vocálicas a nivel subyacente nos referimos principalmente, no a que dos dialectos cualesquiera tengan inventarios vocálicos diferentes en lo fonemático, sino al hecho de que un dialecto a otro un mismo vocablo castellano se pronuncie distinto únicamente con respecto a las vocales que contiene, y ello de modo categórico, es decir, no tratándose de una simple alternancia fonética de índole variacional. Por ejemplo los hablantes de un dialecto A determinado dicen categóricamente [besíta] y los de un dialecto B [bisíta] para el vocablo que en la lengua estándar se escribe *visita.* El fenómeno afecta no sólo a las vocales o segmentos silábicos sino también a las deslizadas, teniendo las diferencias cierto carácter sistemático, como veremos en un momento.

Al contrario de lo que sucede en el consonantismo, las pronunciaciones que se apartan en lo vocálico del estándar reflejado en la escritura no son características de regiones americanas determinadas sino de grupos de hablantes incultos frente a grupos de hablantes cultos dentro de un mismo dialecto nacional o local, y ello a lo largo de todo el dominio americano. Esto es, en cada país hay hablantes incultos que se apartan del vocalismo estándar en su pronunciación, lo que los identifica precisamente como incultos, sirviendo entonces de marcador sociolingüístico las diferencias.

En el plano fonemático, la mayoría de esas diferencias pueden expresarse sistemáticamente en términos de rasgos fónicos y de clases de sonidos. La cuestión puede resumirse como sigue. Los hablantes menos influidos por la ortografía pueden presentar:

a) Vocales altas donde el estándar tiene medias, e. gr., *d/*i*/spués, c/*u*/lumpio* por *después* y *columpio.*

b) Vocales medias donde el estándar tiene altas, e. gr., *escr/*e*/bir, j/*o*/sticia* por *escribir* y *justicia.*

c) Deslizadas donde el estándar tiene silábicas, e. gr., *má/*i̯*/z, bá/*u̯*/l* por *maíz* y *baúl.*

d) Silábicas donde el estándar tiene deslizadas, e. gr., *camb/*e*/o* [kambé-o] por *cambio.*

e) Con respecto a las vocales [— altas, — redondeadas], baja donde el estándar tiene media o viceversa, e. gr., *as/*a*/ite, m/*e*/íz* por *aceite* y *maíz.*

f) Vocales simples donde el estándar tiene diptongos, e. gr., *quebra* por *quiebra.*

g) Diptongos donde el estándar tiene deslizadas, e. gr., *dientista.*

Un caso particular de este último fenómeno lo es la generalización a formas átonas de la diptongación de raíces verbales que en el estándar aparece únicamente en formas tónicas, fenómeno característico de hablantes chicanos o mexico-americanos de Estados Unidos, que pronuncian categóricamente *piensamos, recuerdamos,* etc. Se trata de la regularización fonológica de una excepción de carácter morfofonemático.

3.39. Sobre el inventario de fonemas vocálicos y el desdoblamiento fonológico

De los hablantes cultos en el dominio hispanoamericano, ya sean conservadores o radicales en lo consonántico, puede suponerse que tienen en su inventario los cinco fonemas vocálicos /i, e, a, o, u/ de la lengua general, únicamente ésos, y con los mismos rasgos que tienen en el castellano-TNT.

Se ha debatido si entre hablantes incultos en que el grado de elisión de /s/ final llegue al 100 %, o sea, entre aquellos que dejen absolutamente de pronunciarla, existe el fenómeno denominado *desdoblamiento fonológico.* El término se refiere, como lo define López Morales (1979a: 153), «al fenómeno andaluz oriental de distinguir la oposición singular/plural y la verbal tú/él (usted) no por la ausencia/presencia de /s/ sino por el grado de abertura de la vocal final, una vez elidida la aspiración».

El fenómeno supone la siguiente evolución fonética en la pronunciación de, por ejemplo, la forma verbal *comes:*

/komes/	base subyacente en lo histórico
komeh	por efecto de la aspiración
kome̜h	abertura de la vocal en presencia de [h]
kome̜	elisión total, inclusive de [h]
[kome̜]	pronunciación fonética actual

El nombre dado al fenómeno se refiere a la postulación para el andaluz oriental de los fonemas abiertos /a/, /e/, /o/, que oponiéndose a los cerrados /a/, /e/, /o/ trasmiten diferencias de significado, p. ej., entre /kasa/ singular y /kasa̜/ plural *(casas).*

Como observa López Morales, hay autores que afirman que en dialectos americanos se da el desdoblamiento, pero el propio López Morales señala que otros autores no lo encuentran en las mismas zonas dialectales en que lo habían detectado estudios de carácter impresionístico.

La posibilidad de que existan dialectos americanos que trasmitan la noción de pluralidad o de segunda persona singular enteramente a base de la calidad vocálica no puede descontarse, claro está, sin haber hecho una investigación exhaustiva de todos y cada uno de los dialectos de radicalismo consonántico extremo. Por otra parte en los estudios cuantitativos más modernos sobre dialectos de consonantismo radical no se han encontrado hasta ahora hablantes que elidan /s/ en el 100 % de los casos. Al menos para los hablantes examinados en esos estudios, hay que seguir postulando un fonema /s/ subyacente en las formas plurales y de segunda persona singular, sin importar con cuánta frecuencia *no* se manifieste ese segmento a nivel patente, no haciendo falta por supuesto postular que existen fonemas 'abiertos. (Para una refutación empírica de que exista desdoblamiento en cubano véase Hammond, 1978.)

3.40. APARENTE REDUCCIÓN DEL INVENTARIO VOCÁLICO EN ALGUNOS DIALECTOS

En las sierras de Ecuador y Perú, en zonas de contacto con la lengua quechua, aparecen hablantes que a primera vista parecen tener en castellano únicamente tres fonemas vocálicos, /a, i, u/, ello por influencia del quechua, que sólo cuenta con esos tres. Para dichos hablantes, [e] y [o] son, como en ciertas variedades quechua, alófonos de /i/ y /u/ respectivamente, y pronuncian no sólo /e/ y /o/ castellanas como [i] y [u], e. gr., *m*[i]*sa* por *mesa, s*[i]*guro* por *seguro,* sino también lo inverso, /i/ y /u/ como [e] y [o], e. gr., *ch*[e]*cas* por *chicas,* [e]*glesia* por *iglesia.* En el primero de los casos se trata de confusión perceptual al 'oír' efectivamente esos hablantes las vocales medias como altas, y en el segundo de un error de producción al aplicarse a /i/ y /u/ subyacentes en ciertos contextos una regla de descenso vocálico que no les aplica en castellano.

Debe señalarse que los hablantes que de modo sistemático pronuncian así las vocales tienen como lengua materna el quechua y están aprendiendo castellano como segunda lengua. No habiéndolo adquirido del todo, hablan, como observa atinadamente Escobar (1978), un *interlecto* o aproximación imperfecta a la segunda lengua. Se trata de un habla que sobre una base quechua superpone elementos castellanos. Suponemos que hay hablantes que superan los fenómenos apuntados —se trata de verdaderos errores de aprendizaje— cuando llegan a ser bilingües competentes. Suponemos también que, como suele suceder entre hablantes incultos en zonas de contacto interlingual, dicho interlecto se *fosiliza* en muchos casos y los hablantes permanecen por siempre hablando algo que se acerca al castellano pero que está fuertemente matizado de quechua, no sólo en la pronunciación sino también en la gramática y el léxico (v. Escobar, 1978).

3.41. Variación vocálica de carácter fonético

De la variación vocálica de carácter puramente fonético se sabe muchísimo menos que de la variación consonántica, tal vez porque los fenómenos son menos conspicuos. Hay noticias de que en ciertos dialectos la alofonía de las vocales es distinta a la del castellano-TNT. Dalbor (1980), por ejemplo, observa que en las hablas del Caribe /e/ suele ser abierta aún en sílaba abierta, y Cárdenas (1970) señala que las vocales del cubano son todas más abiertas que las del castellano peninsular [centro-norteño]. Estas observaciones no están apoyadas por datos cuantitativos. Es muy posible que el grado de abertura vocálica sea de carácter variable y que en el mismo contexto se den variantes abiertas y cerradas. Sobre la relativa abertura y cerrazón vocálicas faltan datos estadísticos comparables a los que ya se tienen sobre ciertos fenómenos consonánticos como la posteriorización y la elisión.

En un cuidadoso estudio espectrográfico, Matluck (1963) descubrió que a diferencia de lo que ocurre en el castellano-TNT, [e] de la Ciudad de México es marcadamente abierta cuando el margen prenuclear es /r̃/ y el posnuclear /m/, /n/, /s/ o /d/. Descubrió también que en sílaba abierta la variante más frecuente de /e/ es de abertura media, no cerrada.

3.42. De las vocales 'caedizas' de la altiplanicie mexicana

Tal vez los fenómenos dialectales más conspicuos con respecto al vocalismo a nivel fonético sean el extremo relajamiento y ensordecimiento de las vocales, culminando a veces en la elisión, procesos característicos pero no exclusivos de las hablas de la altiplanicie mexicana.

Gracias a las investigaciones cuantitativas de Lope Blanch (1963) y Perissinotto (1975) se sabe que estos fenómenos son de carácter variable y que la elisión no es tan frecuente como se había supuesto en estudios de carácter impresionístico.

Los hallazgos de estos investigadores pueden resumirse como sigue:

a) El relajamiento de las vocales no depende de la posición relativa de la vocal átona con respecto a la tónica (cuán cerca o lejos está de esta última), sino de la consonante con la que está en contacto, siendo /s/ la consonante que más frecuentemente induce el relajamiento, y mucho más si sigue a la vocal que si la precede.

b) El relajamiento de /a/ es poco frecuente en comparación con el de otras vocales.

c) El ensordecimiento de vocales relajadas es extremadamente frecuente en el contexto /s/ —— /s/, como en *pesos* y *entonses,* que se pronuncian [pé$^{\underset{\cdot}{o}}$s] y [entóns$^{\underset{\cdot}{e}}$s] donde el punto indica ensordecimiento y el símbolo alzado indica relajamiento. Siendo también frecuente entre otras consonantes sordas y /s/, e. gr., en *cartuchos,* es sin embargo menos frecuente entre consonante somora y /s/, e. gr., en *comes.*

d) La elisión o pérdida total de la vocal átona, que tiene lugar con la mayor frecuencia delante de /s/, se da sin embargo en menos del 20 % del total de los casos. Ejemplos son [entóns] por *entonces,* [gráss] por *gracias,* [ps] por *pues.*

Como señala Perissinotto (ob. cit.), el relajamiento vocálico no es exclusivo del mexicano de la altiplanicie, habiendo sido documentado en El Salvador, Perú, Bolivia, Ecuador, Colombia y Argentina.

III. SILABEO

3.43. Violaciones a las pautas de silabeo

En los dialectos en que se eliden las vocales, se producen a nivel fonético patrones silábicos que chocan con las pautas de silabeo de la lengua. Al elidirse por ejemplo la vocal delante de /s/ plural o /s/ de segunda persona singular, resultan grupos consonánticos posnucleares que no existen a nivel fonemático, e. gr., [-čs] en [kartučs] por *cartuchos* o [-fs] en [sáfs] por *zafas.* Los ejemplos pueden multiplicarse. Igualmente se crean, debido a la elisión, grupos prenucleares también desconocidos a nivel subyacente, e. gr., [sk] en [skréto] por *secreto.* Resultan además a veces consonantes silábicas, como en la locución [éntra-ps] por *entra, pues*. Se trata en todos los casos, sin embargo, de fenómenos puramente fonéticos. Como acabamos de ver, el índice de elisión es relativamente bajo y los hablantes siguen teniendo representaciones subyacentes que contienen vocales y que respetan las pautas de silabeo comunes a todos los dialectos.

3.44. Sobre el silabeo del grupo *tl*

En el plano de la organización silábica a nivel fonemático la única diferencia notable entre las distintas modalidades del castellano lo es el que la secuencia /tl/ sea heterosilábica en las modalidades peninsulares, pero tautosilábica en la modalidad americana. Así por ejemplo los castellanos silabean *At-lán-ti-co, at-las, at-leta* —elidiendo por cierto /t/ muchas veces en el habla relajada: [a-lán-ti-ko], [a-le-ta], etc. En cambio los hispanoamericanos silabean *A-tlán-ti-co, a-tlas, a-tle-ta,* etc., no produciéndose por supuesto elisión de /t/ por ser prenuclear. Al juego de pautas de silabeo dado en 2.74 habría que agregar, para la modalidad peninsular, pero no para la americana, una pauta que especificara que el grupo /tl/ es heterosilábico.

IV. ENTONACION

3.45. Generalidades

Es relativamente fácil comparar dos dialectos hispánicos cualesquiera atendiendo a sus respectivos inventarios de elementos y procesos segmentales. En cambio, hasta el momento, se sabe muy poco sobre el modo exacto en que las distintas modalidades y submodalidades de la lengua castellana difieren entre sí en lo entonacional.

Dentro de un mismo país cada dialecto regional tiene su tonillo o melodía característica, hecho sobre el que suelen comentar los propios hablantes. Al igual que sucede en el plano segmental, las diferencias dialectales de carácter entonacional que se registran en el dominio hispánico parecen ser mayormemente carácter fonético, no fonemático.

Lo fonemático en la entonación es lo que permite que en igualdad de contenido segmental y sintáctico del discurso, y en ausencia de marcas semánticas explícitas, un castellanohablante puede generalmente determinar si su interlocutor —aunque sea de un dialecto muy disímil al de él— le ha dirigido una aseveración, una pregunta o un mandato —para mencionar los tres tipos generales de locuciones— o si lo que le ha dicho está completo o trunco. Inclusive, en ausencia de elementos léxicos que lo indiquen específicamente, la entonación puede trasmitir si el que habla está seguro de lo que dice o si por el contrario abriga dudas sobre ello, dicotomía ésta que definitivamente importa a la comunicación. La entonación desempeña un papel crucial además en el plano pragmático o situacional, especialmente en las locuciones complejas, donde las modulaciones tonales pueden distinguir por ejemplo entre el *foco* (o información novel que se desea trasmitir) y la *presuposición* (o información que el hablante presume compartida por el oyente) (v. Contreras, 1980; Kvavik, 1981).

No sabemos de ningún dialecto hispánico determinado cuyos hablantes malentiendan sistemáticamente a los hablantes de otro dialecto hispánico en base a diferencias entonacionales. Si hay diferencias entonacionales de orden fonológico comparables o a la presencia o la ausencia de un segmento (yeísmo vs. lleísmo, por ejemplo) o a la presencia o ausencia de una regla o proceso fonológico (que haya o no posteriorización posnuclear o que haya o no elisión de vocales, por ejemplo) parece ser que la confusión semántica que tales diferencias pudieran causar está ampliamente contrarrestada por lo mucho que dos dialectos hispánicos cualesquiera tienen en común, especialmente en el plano sintáctico-semántico, y en lo segmental y lo léxico.

Sin duda la entonación es un aspecto importantísimo de la comunicación oral, pero no es ni más ni menos importante que los otros aspectos, especialmente el sintáctico, con el que guarda lazos estrechos. Precisamente la unidad de entonación, lo que muchos llaman el *grupo fónico,* o conjunto de palabras pronunciadas entre pausa y pausa, coincide normalmente con unidades sntácticas, ya sean palabras, frases u oraciones. A modo de ilustración, y utilizando el símbolo // para indicar pausa, considérese que en el habla corriente la locución *Cuando tengo calor no me dan ganas de hacer nada* se pronunciaría *// Cuando tengo calor // no me dan ganas // de hacer nada,* o tal vez *// ... no me dan ganas de hacer nada //*, pero no p. ej. *Cuando // tengo calor no me // dan ganas de //* ..., segmentación que no es imposible, pero se siente como impropia de la comunicación normal.

Todo grupo fónico presenta una curva melódica producida por las posibles *inflexiones* (cambios) tonales que se suceden durante el mismo. De una sílaba a otra —e inclusive dentro de una misma sílaba— pueden darse dos tipos generales de inflexión: *ascendente:* el tono sube, o *descendente:* el tono baja; o puede darse la ausencia de inflexión: el tono mantiene la misma altura. Los ascensos y descensos tonales —que son medidas relativas y no absolutas como los tonos musicales— se miden a partir de un tono normal o básico que varía de hablante a hablante, estimándose que es la altura tonal con que el hablante pronuncia la sílaba o sílabas átonas o inacentuadas con que comienza una locución en el habla emotivamente 'neutral', es decir, ni excitada ni deprimida. Los estados emocionales por supuesto influyen grandemente sobre la entonación. Simplificando mucho podemos decir que la excitación emocional, ya sea positiva o negativa (e. gr., alegría, cólera), da pie a un tono básico más alto o agudo que el ordinario, y que la depresión emocional por el contrario se traduce en un tono básico más bajo o grave. Aquí sin embargo nos interesa principalmente la llamada *entonación lógica,* es decir, aquellos patrones tonales con los que se trasmite mensajes lingüísticos: aseveraciones, preguntas, confirmaciones, etc.

Para la comunicación importa principalmente el tipo de inflexión que tiene lugar al final del grupo fónico, dándose tres clases de *terminaciones* (también denominadas *junturas* por algunos autores): el *ascenso,* el *descenso* y la *suspensión,* según se produzca respectivamente inflexión ascendente o descendente o ausencia de inflexión. Siguiendo a Navarro Tomás (1966), algunos autores llaman *cadencia* al descenso y *anticadencia* al ascenso, coincidiendo en el término *suspensión* para el caso en que el tono no cambia. Navarro Tomás distingue además otros dos tipos de terminaciones intermedias: la *semicadencia,* o descenso no tan bajo o grave como la cadencia, y la *semianticadencia,* o ascenso no tan alto o agudo como la anticadencia.

De la entonación hispánica en general se sabe relativamente poco y menos aún de la entonación hispanoamericana, como puede apreciarse en los útiles resúmenes recogidos en Kvavik y Olsen (1974) y Kvavik (1978), que hemos tenido muy a la vista. Que sepamos, para ningún dialecto americano existe nada comparable al estudio sobre la entonación del castellano-TNT recogido en el *Manual de entonación española* de Navarro Tomás, aparecido por vez primera en 1944 (v. Navarro Tomás, 1966), donde se amplían mucho los datos que ofreciera anteriormente este investigador en *su Manual de pronunciación española* de 1918 (v. las páginas 209-235 en cualquiera de las sucesivas reimpresiones de esta última obra, p. ej. Navarro Tomás, 1965). En el *Manual de entonación* Navarro describe los patrones tonales que se registran durante la lectura de textos literarios, dando por sentado que esos mismos patrones son los que se dan en el habla espontánea. Navarro apoyó sus observaciones subjetivas con registros objetivos hechos en el *quimógrafo,* aparato bastante imperfecto y ya obsoleto que ofrece visualizaciones gráficas del sonido por medios mecánicos y es muy inferior al moderno *espectrógrafo* donde las mismas visualizaciones, denominadas *espectrogramas,* se registran electrónicamente y son más precisas y relativamente mucho más ricas en datos que las quimográficas.

A pesar de la primitiva tecnología empleada y de que hay probablemente significativas diferencias entre la entonación de la lectura y la del habla ordinaria, el estudio de Navarro Tomás constituye un utilísimo punto de partida para el estudio de lo entonacional.

Algunas de las observaciones subjetivas de Navarro han recibido confirmación empírica y otras no, al confrontárselas con la evidencia obtenida con la ayuda de una instrumentación mucho más precisa que la empleada por él. Conviene apuntar sin embargo que aun los instrumentos modernos que mejor miden y analizan los fenómenos entonacionales no eliminan la necesidad de que el lingüista interprete de modo subjetivo los resultados obtenidos. Por otra parte es preferible que la investigación de lo entonacional no se limite a la descripción subjetiva, que es lamentablemente el tipo de descripción que ha imperado en la dialectología hispanoamericana.

3.46. Teoría numerativa de la entonación: problemas

En el campo de lo hispánico ha alcanzado gran difusión lo que aquí llamaremos *teoría numerativa de la entonación* (a la que también podría denominarse *teoría del nivel y la juntura),* modelo basado en la teoría entonacional del estructuralismo norteamericano y cuya exposición más representativa y completa está contenida en Stockwell, Bowen y Silva Fuenzalida, 1956. Entre las aplicaciones recientes de la teoría numerativa al estudio de la entonación de ciertos dialectos americanos se destacan los trabajos de Matluck (1965, 1969), Haden y Matluck (1973) y Fon tanella de Weinberg (1966, 1971, 1980). En el importante «Estudio coordinado de la norma lingüística culta», esfuerzo encaminado a describir los estándares de lengua de España y América, se adoptó la teoría numerativa para la descripción de lo entonacional. (V. Comisión de Lingüística Iberoamericana, 1973).

La meta de la teoría numerativa es descubrir y formular cuáles son los esquemas o patrones tonales que contrastan en el plano fonemático, es decir, qué combinaciones trasmiten diferencias de significado. Los numerativistas sostienen que existen en la lengua castellana ciertos *fonemas entonacionales* y que sus combinaciones son seis en total: *tres niveles tonales,* que se marcan 1 (el tono básico), 2 y 3 (de ahí la denominación de 'numerativa' que hemos adoptado) y tres *junturas terminales,* o simplemente *terminaciones* —formas de finalizar el grupo fónico— que son: el *ascenso,* marcado '↑', el *descenso,* '↓' y la suspensión '→'.

En el marco numerativista las únicas cuatro sílabas del grupo fónico que importan al análisis fonemático de la entonación son la primera sílaba, la primera sílaba tónica, la última sílaba tónica y la última sílaba. Unicamente en esas sílabas, sostienen los numerativistas, se dan las inflexiones (o la ausencia de inflexión) que tienen consecuencias comunicativas. El nivel tonal 3 se alcanza únicamente en el habla enfática; en el habla ordinaria sólo son fonemáticos el 1 y el 2. A modo de ilustración, considérese el patrón tonal que se da, según los numerativistas, cuando un castellanohablante asevera de modo inenfático que mañana habrá un eclipse:

1 2 1 1↓
Mañana habrá un eclipse

Esto es, la locución empieza en el tono básico característico del hablante que la emite, asciende al nivel 2 en la primera sílaba tónica y se mantiene en ese nivel hasta llegar a la última sílaba tónica donde desciende al nivel 1, manteniéndose en este último nivel en la última sílaba, bajando luego a un nivel más grave hasta el silencio al final del grupo. El patrón puede resumirse 1 2 1 1↓, y es, según los numerativistas, el esquema que invariablemente se da en toda aseveración inenfática, y es también el esquema de las preguntas pronominales, e. gr., *¿Por qué no vienes?, ¿Cuándo comemos?,* etc.

Ese patrón contrasta por ejemplo con el patrón 1 2 2 2 ↑ , que caracteriza a las preguntas absolutas, es decir, aquellas de las que no se sabe la contestación, que será normalmente o *sí* o *no,* como en

1 2 2 2 ↑
¿Mañana habrá un eclipse? ¿No sé si va a haber o no)

Es decir, el nivel tonal es 2 a partir de la primera sílaba tónica y se mantiene así durante el resto del grupo, finalizándose con un tono más agudo que no llega al 3 enfático.

Para los numerativistas, lo verdaderamente fonemático está en lo que sucede a partir de la última sílaba tónica, de modo que los dos esquemas apuntados se escriben respectivamente (1 2) 1 1 ↓ y (1 2) 2 2 ↑ . (Nótese que las inflexiones son idénticas al principio del grupo en los dos.)

Si la primera sílaba del grupo es también tónica, la locución empezará ya en el tono 2, por ejemplo en

2 1 1 ↓
Hoy es jueves

Y si la última sílaba es tónica, la inflexión tiene lugar durante la misma. Por ejemplo, el patrón tonal para las frases de cortesía es (1 2) 2 1 ↓ y la entonación del saludo *¿Qué tal?* sería:

2 21 ↓
¿Qué tal?

Ejemplos de otros patrones contrastivos propuestos por los numerativistas son (1 2) 3 1 → para la pregunta relativa en la que se anticipa la respuesta, como en:

2 31
¿Fuiste anoche al cine? →
(Me dijeron que fuiste)

y (2 3) 2 1 ↓ para la 'afirmación apelativa, como en

2 3 2 1 ↓
Pero fíjate cómo baila

En el esquema numerativista recomendado para el «Estudio coordinado de la norma culta» las terminaciones intermedias propuestas por Navarro Tomás se consideran alófonos del fonema de *suspensión* .

En èl estudio sobre la entonación tanto peninsular como americana en que se ha apelado al análisis instrumental y no se ha seguido el modelo numerativista, se ha visto que las inflexiones tonales no se producen necesariamente en las sílabas que los numerativistas postulan ni se dan invariablemente los esquemas fonemáticos por ellos propuestos (v. principalmente Kvavik, 1974, 1978, 1981, y Lantolf, 1976).

Ya en el campo de la fonología inglesa, los resultados de cierto experimento habían llevado a poner en tela de juicio los presupuestos fundamentales de la teoría numerativista: Lieberman (1965) pidió a dos lingüistas norteamericanos, partidarios del análisis numerativista, que transcribieran los patrones tonales de una serie de locuciones, y que marcaran, como lo requiere la teoría, los tres fonemas entonacionales de terminación y los cuatro niveles tonales postulados para el inglés (en inglés el nivel 4 es el enfático, y el nivel 3 es característico del habla normal, según los numerativistas). Los transcriptores estuvieron en desacuerdo en el 60 % de los casos, tanto al asignar niveles como terminaciones. Más significativo aún resulta el hecho de que uno de los lingüistas asignara nivel 1 a una parte de una locución que al medirse instrumentalmente resultó tener una frecuencia fundamental más alta que otra parte de la misma locución, a la cual había asignado el mismo lingüista el nivel 2, lo que demuestra que los niveles postulados no tienen base física.

A pesar de estos resultados, el modelo ha seguido utilizándose en trabajos de dialectología hispánica realizados con posterioridad a la publicación del estudio de Lieberman, e. gr., por Haden y Matluck (1973) y Fontanella de Weinberg (1971, 1980) —estudios que no obstante las deficiencias de la teoría numerativista, contienen valiosa información para la fonología entonacional hispánica.

3.47. Teoría configuracional de la entonación

A la teoría numerativa se opone lo que podríamos denominar *teoría configuracional de la entonación,* aunque ninguno de sus proponentes en el campo de lo hispánico utilice explícitamente esta denominación. Es la posición representada, e. gr., en Bolinger 1961, Lantolf 1976 y en los varios trabajos de Kvavik (v. bibliografía). Los configuracionistas coinciden con Lieberman (1965) en que los esquemas tonales de carácter fonemático son configuraciones particulares de la curva melódica del grupo fónico, especies de *gestalts,* y no relaciones numéricas entre niveles fijos. Entre los configuracionistas debe incluirse al propio Navarro Tomás. Según Navarro Tomás (1965: 212) las dos configuraciones fundamentales de la entonación castellana pueden representarse esquemáticamente como sigue:

La configuración A sería la de la entonación enunciativa. La configuración B es la característica de la interrogación absoluta si el tono se eleva cuatro o cinco semitonos por encima del tono básico —anticadencia—. En cambio si en la misma configuración el tono se eleva únicamente dos o tres semitonos —semianticadencia— resulta el patrón característico de la subordinación sintáctica.

Teniendo a la vista las observaciones de Kvavik (1978: 188-189) podemo resumir las relaciones entre lo entonacional y lo semántico-sintáctico postuladas por Navarro Tomás de este modo:

Cadencia (descenso): marca lo aseverativo.

Semicadencia (semidescenso): indica inseguridad, carácter incompleto, preguntas internas de locución.

Anticadencia (ascenso): marca contraste, oposición de conceptos, interrogación absoluta;

Semianticadencia (semiascenso): continuaciones interiores, contrastes secundarios.

Suspensión: carácter incompleto de la locución.

También habla Navarro Tomás de la modulación circunfleja, fenómeno que consiste en que a un ascenso tonal sigue casi inmediatamente un descenso. Según Navarro la configuración circunfleja es característica por una parte de la entonación exclamativa pero también del habla persuasiva y cordial. Kvavik (1981) ve una correlación en el habla de sus informantes madrileños y mexicanos entre el uso de la entonación circunfleja y las partes del discurso que los hablantes quieren poner de relieve. Según Kvavik la entonación circunfleja indica al oyente que el hablante está expresando algo de importancia o proponiendo un nuevo tópico de conversación.

Las anteriores observaciones deben dar una idea de que dentro del marco configuracionista los diferentes investigadores no coinciden (como lo hacen entre sí los numerativistas) sobre el valor fonemático de cada configuración. Aparte de la obra de Navarro Tomás, no hay que sepamos dentro del configuracionismo estudios sistemáticos en que se trate de determinar cuáles son las combinaciones tonales distintivas de la lengua castellana en general o de un dialecto o dialectos en particular.

3.48. De lo dialectal en la entonación hispanoamericana

Existe cierta evidencia empírica de tipo instrumental que apoya en parte la observación subjetiva hecha por Navarro Tomás y otros de que la entonación de la modalidad peninsular centro-norteña es más grave que la de ciertos dialectos hispanoamericanos. Underwood (1971) aduce, apoyado por registros espectrográficos, que la entonación básica de hablantes chilenos es más aguda que la del castellano-TNT. Kvavik (1974), valiéndose de un analizador melódico, encontró que en las terminaciones suspensivas el nivel tonal de sus informantes de Castilla estaba generalmente por debajo del tono básico y el de sus informantes mexicanos por encima. En cambio en el descenso o cadencia la frecuencia estaba por debajo del tono básico en ambos grupos de informantes, presentando los mexicanos un nivel tonal más bajo que los castellanos en ese tipo de terminación.

En su estudio de las hablas puertorriqueñas, Navarro Tomás (1948) había notado que ciertos hablantes presentan un tono medio más alto que el característico de lo que hemos venido llamando castellano-TNT y que en las terminaciones de oración declarativa el descenso no era tan pronunciado como el que se da en la variedad peninsular por él descrita.

En otro de sus estudios comparativos, Kvavik (1978) descubrió una similitud general entre las configuraciones de un informante puertorriqueño y de varios informantes mexicanos, lo que corroboraría indirectamente las observaciones de Navarro. En cuanto a las diferencias entre el informante puertorriqueño y los mexicanos, Kvavik observa que aquél presenta más semiascensos (semianticadencias) que éstos, pero también más casos de terminación suspensiva. Estas diferencias parecen ser de tipo meramente fonético. Matluck (1965) y Kvavik (1978, 1981) coinciden en que el dialecto mexicano, frente al de Castilla, se caracteriza por un empleo más frecuente de la modulación circunfleja. Se trata de nuevo de una diferencia al parecer exclusivamente fonética.

En el plano fonemático son interesantes las observaciones de Fontanella de Weinberg en su estudio comparativo de tres entonaciones regionales argentinas (1980). Observa esta investigadora que el habla de Tucumán, ciudad del Noroeste argentino, se caracteriza por presentar terminación ascendente en la entonación declarativa, y los hablantes de la ciudad de Buenos Aires o porteños, que tienen —como muchos otros dialectos— terminación descendente en lo declarativo, llegan a percibir las aseveraciones de un tucumano como preguntas. Ello se debe a que la terminación ascendente está asociada en el habla porteña —y en muchas otras hablas— con la interrogación absoluta. Las observaciones de Fontanella de Weinberg están en concordancia con las de estudios tradicionales en que la entonación del noroeste argentino se describe como de terminación por lo general ascendente en comparación con los patrones más generales de la lengua.

En su mayoría, los estudios entonacionales de hablas americanas han examinado diferencias dialectales de carácter geográfico pero hay seguramente diferencias sociales y estilísticas trasmitidas por lo entonacional.

De la entonación de los dialectos sociales y de la de registros estilísticos dentro de un mismo dialecto se sabe aún menos que de la entonación de dialectos geográficos. En medio de la carencia general de información se destaca el trabajo de D'Introno y Sosa (1979) sobre el valor sociolingüístico del factor 'tensión laríngea' en la ciudad de Caracas. A mayor tensión laríngea corresponde un nivel tonal más agudo. Según estos autores, la entonación más aguda se da mucho más entre caraqueños de nivel socioeconómico bajo que entre los de niveles más altos, y los propios hablantes asignan al habla más aguda menor prestigio.

Para completar nuestro muy esquemático tratamiento de lo entonacional hispanoamericano debemos mencionar que no son únicamente las modulaciones tonales las que otorgan al tonillo de cada dialecto geográfico o social su identidad característica. También entran en juego la relativa prominencia y duración con que se pronuncian las diferentes sílabas, dando lugar a patrones distintos de acentuación y ritmo. Fontanella de Weinberg (1980), por ejemplo, sostiene que el ritmo del habla tucumana es acentual en vez de silábico: en el tucumano las sílabas tónicas se pronuncian por lo general más largas que las átonas. Ello contrasta con el ritmo silábico del dialecto porteño (y de la mayoría de los dialectos del castellano en general) donde todas las sílabas tienen más o menos la misma duración.

El dialecto de Córdoba, Argentina, examinados por la misma autora, presenta prominencias tonales en la sílaba antepretónica, lo que da a la entonación cordobesa el carácter 'esdrújulo' que le es peculiar.

CAPITULO IV
Léxico

4.0. Americanismos

El vocabulario de los hablantes de cualquier región incluye un número de voces que son características del lugar, y una cantidad extraordinariamente mayor de vocablos que se comparten con todos los hablantes de la misma lengua, cualquiera que sea su procedencia. Al estudiar el corpus léxico del español o castellano de América pueden adoptarse dos posturas: una sería considerarlo en su totalidad, la otra consideraría sólo aquellos elementos léxicos que son característicamente americanos, es decir, que no se conocen o no se usan, o el uso es divergente, en España. La primera posición es realmente más válida, pero en un estudio de dimensiones limitadas como éste resultaría impracticable. Adoptamos aquí la segunda posición; consideraremos sólo aquellas palabras donde existe una oposición entre lo americano y lo peninsular, es decir, los *americanismos.*

En otro capítulo se estudia cómo se formó la modalidad dialectal hispanoamericana, sus orígenes; aquí la vemos en su forma actual. La perspectiva de presente excluye que se le dé consideración de americanismo a vocablos que se originaron en América, pero que hoy son parte del léxico en todos los dialectos del español, es decir que pertenecen a la lengua general; éste es el caso para *cacique, chocolate, hamaca* y *tomate,* por ejemplo. Este criterio contrastivo y restrictivo lo adoptamos aun sabiendo que lo que hoy es americanismo mañana puede dejar de serlo, por incorporarse al léxico peninsular; un caso reciente: *guateque,* 'fiesta bailable informal, jolgorio'.

4.1. Arcaísmos supuestos y reales

El dejar de un lado las consideraciones histórico-etimológicas nos obliga a un comentario. Un buen número de autores califica de *arcaísmos* a muchos componentes del léxico hispanoamericano, por haber dejado de usarse en España. La caracterización de estas voces carece de fundamento al discutirse la modalidad americana, en ella nada tienen de arcaicas puesto que están vivas y en uso diario, cualquiera que sea su estado en la Península. Lapesa, con el buen juicio que le caracteriza, prescinde de calificativos, exponiendo llanamente el hecho lingüístico: «El léxico general americano abunda en palabras y acepciones que en España pertenecen sólo al lenguaje literario o han desaparecido» (Lapesa 1980: 592). Cita por ejemplo *lindo* 'bonito', *bravo* 'irritado', *liviano* 'ligero', *vidriera* 'escaparate', entre otros. Con arreglo a nuestro ya expuesto criterio contrastivo (palabra o acepción americana, desconocida o no usada en España) estas voces son simplemente americanismos léxicos.

Claro está que para el español general de América existen casos de palabras que son hoy arcaísmos, por haber caído en desuso. Como muestra se puede dar el anglicismo *trole* o *troli,* que se ha hecho arcaico por haber dejado de usarse en casi todo el continente el vehículo del que era parte. Lo mismo puede decirse de cada una de las variantes locales o regionales americanas: *fiñe,* 'niño', es arcaísmo en la lengua actual de Cuba.

4.2. Incorporación y reincorporación

Por otra parte hay que tener en cuenta que el léxico es un sistema abierto. De la misma manera que una palabra desaparece del uso, o sus acepciones cambian, otras pueden incorporarse al inventario léxico, e inclusive una palabra en desuso puede recuperar su vitalidad. Un ejemplo de esto último es *azafata,* que como 'criada de la reina' no pasaba de ser curiosidad de diccionario, un dato histórico carente de realidad cotidiana en la lengua, hasta que se la reactualiza para significar 'aeromoza, asistente del pasaje en aviones comerciales'. Caso similar es el de *trusas* 'gregüescos o pantalones acuchillados que se llevan a medio muslo', voz que desaparece del léxico (se convierte en arcaísmo) ya para el siglo XVII, hasta que vuelve a surgir en algunos dialectos americanos (Cuba, partes de México) en este siglo, previa pérdida de la *s* final, trusa, para significar 'traje de baño'.

La incorporación propiamente dicha, más bien que la reincorporación, se produce por vía del neologismo o del préstamo. Este último puede consistir en la simple introducción de un vocablo de otra lengua (xenismo), que desde luego se adaptará al fonetismo y a la morfología de la lengua que lo recibe: *corsé,* del francés *corset.* Puede el préstamo adoptar la forma de 'calco' o traducción: *rascacielos,* del inglés *skyscraper.* Por último el préstamo puede resultar en el cambio de significado de una palabra, o más generalmente en añadirle una nueva acepción, por influencia de alguna acepción en la lengua prestante; es lo que se llama 'extensión o transferencia' semántica: *aplicación* 'solicitud', del inglés *application.*

El préstamo puede ocurrir no solamente de lengua a lengua, sino de un dialecto a otro dentro de la misma lengua. Cuando decimos que un americanismo deja de serlo por incorporarse a la lengua general, lo que en puridad ha sucedido es que se ha producido un préstamo de dialectos americanos a dialectos peninsulares. También se producen los casos de transferencia semántica, como cuando en América *comida* adquiere la acepción que en España tiene *cena.*

4.3. Lo peninsular y lo americano

La influencia de otras lenguas al afectar de manera diferente a cada dialecto o grupo de dialectos, la necesidad denominadora creada por los innumerables innominados americanos en los años que siguen al Descubrimiento, y los otros factores geográficos, etnográficos y, en general, históricos que fueron responsables del desarrollo de un caudal léxico americano diferenciado del peninsular los estudiamos en otro capítulo. Pero debe recordarse que, como se dijo en el primer capítulo, bastaría la existencia del idioma en dos lugares diferentes, España y América, para que con el pasar del tiempo se desarrollaran variedades dialectales para cada uno de ellos. Una buena parte (aunque no todos) de los usos contrastantes que siguen se explican sólo por diferencias espaciales y temporales. A continuación damos algunas muestras que resultan de este proceso de diferenciación dialectal.

USO NORMAL PENINSULAR	USO AMERICANO MAS GENERAL
albonoz	bata de baño
americana	saco
aparcar	parquear
apresurarse	apurarse
armario (mueble)	escaparate
ascensor	elevador
beber	tomar
bocina	claxon
bolso (de mujer)	cartera
bonito	lindo
cacahuete	maní (cacahuete)
calcetín	media, escarpín (para hombre)
cena	comida
cerilla	fósforo
cigarrillo	cigarro
cocer	cocinar
coche (automóvil)	carro
comida	almuerzo
conducir	manejar
conferencia (telefónica)	llamada de larga distancia
coz	patada
chófer (llana)	chofer (aguda)
derrochador	botarate
echar de menos	extrañar
enchufe (influencia)	palanca
enfadado	bravo, enojado
escaparate (de tienda)	vitrina, vidriera
gamba	camarón
hacia (salir —)	para salir —)
jersey	suéter
látigo	fuete
levantarse (ponerse de pie)	pararse
lumbre, fuego (dar al cigarrillo)	candela
madre (de la persona con quien se habla	mamá (*madre* es ofensivo)
moqueta	alfombrado

mordisco	mordida
multicopiar	mimeografiar
parado	desempleado
patata	papa
percha	gancho, perchero
pijama	piyama, payama
piso	apartamento
pordiosero	limosnero
puerto (de montaña)	abra
reñir	pelear
repoblación forestal	reforestación
retrete (vater, lavabo)	baño
señas	dirección
surtidor (de gasolina)	bomba
talonario (de cheques)	chequera
tardar	demorarse
tila (infusión)	tilo
tirar (echar)	botar
tirar de	halar, jalar
travesía ('a tantas travesías', con sentido de distancia)	cuadra (distancia entre travesías)
vergüenza	pena
volante	timón

Como se puede ver de la lista anterior, consideramos elementos léxicos no sólo a las *palabras* (que tienen realidad para los hablantes, sin perjuicio de la dificultad definitoria), sino también a los *modismos* (combinación estable y de sentido unitario de dos o más palabras; en inglés *idiom),* como *echar de menos, dar calabazas, brazo de mar.*

4.4. Diversidad hispanoamericana

A la modalidad americana debe considerársele como unidad que contrasta con la peninsular, sin excluir de este contraste a las hablas meridionales de España. Pero cubriendo un territorio tan vasto, con geografía, clima, razas, economías, etc., tan diferentes, no hay ni que decir que abundan los contrastes internos. Basta escuchar a un argentino, a un cubano y a un mexicano para captar de inmediato la rica gama de variedades dialectales que componen la comunidad lingüística hispanoamericana. Fonológica y morfosintácticamente tanto como por el léxico, el español americano puede dividirse y subdividirse, como lo estudiamos en el capítulo sobre «Geografía lingüística». Veamos algunos de los contrastes que aparecen en el léxico.

Hacer a alguien el favor de llevarlo en auto a donde desea ir es en Cuba *dar botella,* en Puerto Rico *dar pon,* en México *dar un aventón,* y *dar colita* en Venezuela. La persona que desea ser llevado *pide botella,* o *pon, etc.* Cuando no se tiene la suerte de que alguien lo lleve a uno, hay que usar el transporte público, el autobús, que es en las Antillas *guagua,* en México camión, en Panamá *chiva,* en Argentina *colectivo,* en Perú *góndola,* y *micro* en Chile. El auto o el bus dejan al pasajero en la *acera,* pero en México lo dejan en la *banqueta,* en el *andén* en Honduras y Colombia, en la *vereda* en todo el Cono Sur (Argentina, Uruguay y Chile) y en República Dominicana en la *calzada.*

La forma más general es *limpiabotas,* pero existen las variantes *bolero* (México), *brillo* (Puerto Rico), *lustrador* (Centro América), *embolador* (Colombia) y *lustrabotas* (Perú). *Frijo*l es el nombre de varios granos en Cuba y México, pero en Puerto Rico es *habichuela, caraota* en Venezuela, y en el resto de Suramérica es *poroto.* Plátano tiene también las variantes *banana* (Argentina), *guineo* (Puerto Rico) y *cambur* (Venezuela). *Rubia* es *güera* (México), *mona* (Colombia), *gringa* (Argentina) y *catire* (Venezuela, Colombia, Ecuador, Perú).

Al contestar al teléfono corresponden al *diga* peninsular *aló* en Perú y Chile, *a ver* en Colombia, *bueno* en México, *hola* en Argentina y Uruguay, y en Cuba *qué hay* u *oigo.*

En los casos anteriores a un solo concepto corresponden varias formas, pero ocurre también lo contrario. *Guagua* es autobús en Cuba, pero niño pequeño en casi toda la región andina (Ecuador, Perú, Bolivia, Chile). En buena parte de América *gringo* se le llama al norteamericano, pero en Argentina significa más bien 'europeo' y 'rubio'. Por razones geográficas más que propiamente dialectales, en el hemisferio sur el *verano* comprende los meses de diciembre, enero y febrero, y el *invierno* a los de junio, julio y agosto.

Algunas expresiones locales son particularmente confusas para el forastero: el *luego* mexicano, que significa 'al instante'; del mismo país *nos estamos viendo,* que quiere decir 'nos veremos en el futuro'; y también de México, *hasta* por 'desde' o 'no —— hasta' *(el cine abre hasta las siete* informa que dicho establecimiento se abre a la hora indicada). En Venezuela *exigir* significa 'rogar encarecidamente'; *provocar* es en Colombia 'gustar'; en Chile *las once* es por la tarde, es una merienda que se toma a media tarde.

Téngase en cuenta que esta variedad léxica sorprenderá al oído forastero, pero es perfectamente normal cuando una lengua cubre territorios tan extensos. Similar variedad se da en España, con todo y ser territorialmente pequeña. Y en cuestión de léxico las formas peninsulares pueden ser igualmente confusas para el hispanoamericano. Un cubano, mexicano o chileno, por ejemplo, se alegrará si al quere establecer una comunicación telefónica se le informa que *comunican,* pero la alegría desaparecerá al darse cuenta que lo que se le está indicando es que el teléfono al que se llama *está ocupado.*

Por otra parte hay que recordar que el dialectólogo tiene que hacer resaltar las diferencias, pero entre dialectos éstas son siempre reducidísimas por comparación con lo que hay de igual en ellos. El que hable español y haya viajado, sabe que puede recorrer todo el mundo hispánico sin temor de no comprender o no ser comprendido. Alguna palabra o giro lo sorprenderá o confundirá de tarde en tarde, pero la confusión dura muy poco.

4.5. Influencia andaluza

La influencia andaluza en la pronunciación ocurre en el momento inicial formativo y, como afecta a un sistema que tiende a ser más estable que el léxico, se mantiene hasta el presente. Considerando a los americanismos como los hemos definido, es decir, como términos que no son generales en España, no son realmente muchos los que proceden de las hablas meridionales. Se pueden citar entre otros, con mayor o menor difusión, *barín* 'excelente', *escarpín* 'calcetín', *gemiquear* o *gimiquear* 'gemir' o 'llorar', *guiso* 'guisado', *juma* 'borrachera', *limosnero* 'mendigo', *menda* como forma vulgar de 'yo' y *prometer* 'asegurar'; además de la generalización de la forma reflexiva para algunos verbos, por ejemplo *enfermarse;* el uso de *haber* por 'estar' (aquí habemos tres), y de *con la misma* por 'en seguida'.

A pesar de la opinión bastante generalizada en sentido contrario la influencia andaluza en el léxico americano no es hoy considerable. Esto es así por varias razones. En primer lugar está el hecho ya mencionado de la mayor inestabilidad de este sistema, que hace que el vocabulario de una región cualquiera pueda cambiar con relativa facilidad y rapidez, por lo que la primacía en el tiempo no tiene tanta influencia como en la pronunciación, sobre todo si hay otras influencias posteriores. En segundo lugar están dichas influencias posteriores; al menos a partir del siglo XIX la emigración andaluza a América es mínima, siendo en cambio masiva la gallega y la asturiana.

Otra razón es más reciente, y se debe a un hecho que tiene lugar en la Península. Si la actual emigración andaluza a América no es de consideración, sí ha sido considerable en los últimos años esa misma emigración a otras regiones y ciudades españolas. Como resultado muchos vocablos que eran antes andaluces se han difundido hoy por buena parte de España, por lo que no pueden ya considerarse como americanismos.

4.6. MARINERISMOS

Marinerismo lo definimos como vocablos de origen marítimo, de la jerga de los marineros, *que se extiende a significados ajenos a lo náutico*. Este grupo de voces penetra en el español americano desde época muy temprana, desplazando a los usos peninsulares de tierra adentro. En ellos sí se mantiene el contraste con el uso español (salvo en algunos casos en Andalucía), lo que nos permite considerarlos como verdaderos americanismos aún hoy.

Son los marinerismos una parte muy destacada del léxico característicamente americano, porque tienen muchos de ellos una elevada frecuencia de uso; son de las palabras que ocurren en el habla de todos los días. Son marinerismos americanos (algunos más localizados que otros) los siguientes: *abarrotar* 'llenar hasta el tope', *abra* 'puerto o paso de montaña', *amainar* 'aflojar o ceder', particularmente la lluvia, *amarrar* 'atar', *andariveles* 'adornos', además de otros significados, *arribar* 'llegar', *balde* 'cubo', *bandazo* 'golpe lateral', *bandearse* 'balancearse, tanto en sentido recto como figurado', *botar* 'tirar, echar', *calma chicha* 'ausencia de viento', *desarbolar* 'desarmar', *estadía* 'estancia de tiempo', *fletar* 'contratar cualquier tipo de transporte', *halar* o *jalar* 'tirar de', *mazamorra* 'alimento hecho con maíz', *playa* 'espacio llano, vacío', *rancho* 'vivienda campestre', *rebenque* 'látigo, generalmente hípico', *rumbo* 'dirección u orientación', *singar* o *chingar* 'realizar el acto sexual, molestar', *timón* 'volante manubrio', *virar* 'doblar, cambiar de dirección', y *zafar* 'desatar'. Es posible que sea marinerismo *palo* por 'árbol', uso general en Puerto Rico; recuérdese que 'palo' y 'árbol' son en un barco sinónimos.

4.7. Indigenismos

Antes que nada hay que recordar lo que dijimos ya, en este mismo capítulo, sobre el desacertado criterio de muchos lexicógrafos que consideran americanismos a vocablos que están completamente integrados al castellano peninsular (y en buen número de casos a muchísimas otras lenguas), por el solo hecho de haberse originado en las lenguas indoamericanas. Al estudiar el léxico hispanoamericano podemos considerar como característica y diferenciadora a una palabra como *bohío,* que pudiera ser conocida por algunos en España, pero que ciertamente no forma parte del caudal léxico en uso por la enorme mayoría de los españoles, siendo en cambio de frecuentísimo uso en las Antillas y la región circuncaribe. Sería —por contraste— absurdo pretender que *chocolate* (también indigenismo) sirviera para caracterizar al léxico hispanoamericano frente al peninsular; el vocablo es parte del léxico de todo hablante del español, cualquiera que sea su identidad dialectal. Este último vocablo podemos considerarlo americanismo en un estudio histórico, señalar su origen náhuatl, como se hace en otro capítulo, pero no cabe discutirlo al considerar lo que contrasta y diferencia al léxico hispanoamericano del peninsular. En este epígrafe consideraremos sólo aquellas voces indoamericanas que no se han incorporado al español de la Península.

Aunque un buen número de indigenismos pasa a la lengua general, no cabe duda de que son muchos más los que quedan con uso exclusivamente dentro del español americano, y que una de las características de éste es precisamente el mayor número de vocablos indígenas en uso diario.

Hay buen número de voces cuyo *uso* no se ha difundido más allá de la región a la que caracterizan, pero que por especiales circunstancias se *conocen* muy generalmente. Esas circunstancias especiales son la localización de los centros productores de películas (México y Argenina), de novelas en serie para la radio y la televisión (antes Cuba, hoy Miami, que retiene características cubanas, México, Venezuela y, en menor escala, Argentina), de libros (antes también Cuba, Chile y, sobre todo, México y Argentina) y de música popular (las Antillas, México y Argentina). Caen dentro de esta categoría los antillanismos *bohío, guajiro, jíbaro;* los mexicanismos *cuate, chamaco, escuincle, guacal (huacal), jacal, milpa, nopal, pulque;* y argentinismos como *macanudo* (que históricamente es antillano). Esta difusión del conocimiento pasivo (voces que se reconocen, pero que no forman parte del léxico activo, que no se usan) afecta a muchos otros americanismos que no trataremos aquí, por no ser indigenismos.

Los indigenismos cuyo uso más se ha difundido geográficamente proceden de las lenguas que por circunstancias históricas más contribuyeron al español general: el taíno, el náhuatl, el quechua y, en muy menor proporción, el caribe. El uso de algunas palabras se extiende enormemente: el quechuismo *papa* sólo encuentra alguna resistencia en *Colombia* (turma); *poroto,* de igual procedencia, cubre toda Sur América, salvo Venezuela (caraota), y parte de Centro América; el tainismo *maní* se difundió por todas partes, excepto México y regiones colindantes centroamericanas (cacahuate).

Lo más usual sin embargo es que los vocablos procedentes de las dos lenguas que geográficamente más se han difundido, el taíno y el quechua, se mantengan al norte del ecuador los de la primera, y al sur de dicho paralelo los de la segunda. Los nahuatlismos tienden a no ir más allá de México y Centro América; los que sí van más allá, por lo general se quedan al norte del ecuador. Se ajustan generalmente a los límites dichos los tainismos *ají, bajareque, barbacoa, bejuco, bohío, cabuya, cazabe, conuco, jaba, jagüey* y *macana* (lo mismo para los caribismos *arepa* y *múcura);* los nahuatlismos *achiote, chapapote, jícara, mecate, papelote, petaca* (maleta o caja grande), *petate* y *tamal;* y los quechuismos *achura, achurar, guagua, humita, ñapa (llapa)* y *palta.*

Claro está que los indigenismos que no consideramos americanismos, por ser de uso común en España, cubren todo el territorio del español americano. Algunas de las pocas excepciones son *aguacate,* desplazado al sur del ecuador por *palta,* y *cacahuate (cacahuete* en España), que como ya vimos no logró desplazar al tainismo *maní en América.* Estas dos excepciones proceden del náhuatl.

Angel Rosenblat (1958, 12) afirma con razón que «la mayor riqueza de voces indígenas no está en el habla general, sino en la regional o local». Efectivamente, en cada región las lenguas indígenas locales contribuyen un número de préstamos que quedan dentro de sus propios límites. En las Antillas y la costa norte de Venezuela y Colombia abundan arahuaquismos y caribismos que no se usan en otras partes: *auyama, batey, bija, ceboruco, cocuyo, guajiro, guanajo, guano* (hoja de palma), *guataca, guayo, jíbaro, jutía, múcura, manigua, mangle* y *yagua,* no todos con igual difusión. En México y Guatemala son de uso común vocablos procedentes del náhuatl o del maya que no han pasado a otras zonas: *atole, cenote, comal, elote, guajolote, metate, mole, zacate* y *zopilote,* por citar unos pocos. En la región andina (pero no sólo en la cordillera) desde Ecuador hasta el noroeste argentino y Chile predominan las voces de procedencia quechua y, en menor cantidad, aymara: *chacra, choclo* y *puna,* por dar sólo una muestra. La contribución a las hablas locales no se limita a las lenguas citadas; son importantes en sus regiones las de la familia chibcha, el mapuche, el guaraní y cientos de otras lenguas más localizadas.

El número de indigenismos es mucho mayor, como podría esperarse, en las regiones bilingües. El bilingüismo contribuye al enriquecimiento del léxico por la vía de los préstamos amerindios en Yucatán y Guatemala (maya), en la región de la cordillera andina (quechua y aymara) y en Paraguay (guaraní).

Los indigenismos forman una parte importante del léxico americano, general, regional y local, pero no debe caerse en exageraciones. En un estudio del habla de la Ciudad de México Lope Blanch (1949: 34) sólo encuentra con vitalidad *pasiva* media o superior 218 palabras correspondientes a 168 lexemas de origen indígena. Para el español de Cuba López Morales (1971: 61) encuentra solamente 97 con vitalidad similar.

4.8. Afronegrismos

Los esclavos africanos y sus descendientes fueron llevados a todas partes de América. Algunos fueron, aun en épocas muy tempranas, como libertos; inclusive algunos participaron de la conquista. Pero la población negra, en mayor o menor grado de mezcla, sólo es de consideración hoy en las Antillas, las costas del Golfo de México y el Mar Caribe, Panamá y las regiones del Pacífico de Colombia y Ecuador. El léxico de origen africano se ha mantenido casi exclusivamente como contribución al español de dichas regiones.

Algunos pocos afronegrismos se han extendido a otras partes de la América española, e inclusive a España. La popularidad de la música *afrohispana* es responsable del mayor conocimiento de algunos vocablos: *conga, bongó, marimba.* Otros que también se conocen fuera de las regiones de población negra son *banana (o), bemba, chachimba (o)* y *dengue.*

En las zonas de población negra es, desde luego, donde más cantidad de afronegrismos se han incorporado al español. Los siguientes son de los más conocidos: (de) *ampanga* 'terrible', *babalao* 'adivino', *bachata* 'broma', *bembé* 'fiesta', *burundanga* 'revoltijo de cosas', *cumbancha* 'jolgorio', *champola* 'refresco de guanabana', *cheche* 'valentón' o 'petimetre', *fuácata* 'miseria', *fufú* 'comida hecha de plátano', *guaguancó* 'fiesta', *guarapo* 'jugo de caña de azúcar', *guinea* 'ave', *guineo* 'plátano', *jelengue* 'molestia, fastidio', *jubo* 'serpiente pequeña', *malanga* 'tubérculo comestible', *ñangotarse* o *añingotarse* 'ponerse de cuclillas', *quimbamba* 'lugar lejano e impreciso', *quimbombó* o *guinganbó* 'okra', *sánsara* 'huir', *subuso* 'silencio', *tángana* 'pelea', *titingó* 'escándalo', *tonga* 'pila, gran cantidad'.

La relación anterior no agota el caudal de los afronegrismos del español americano, aunque incluye una buena parte de los que tienen frecuencia de uso. Es representativa geográficamente; muchos de los vocablos se usan en unas partes del territorio afronegrista, pero ni siquiera se conocen en otras partes de ese mismo territorio. La aportación léxica africana al español americano no puede menospreciarse, pero es muy inferior a la de las lenguas amerindias.

En algunas partes, notablemente en Cuba, se conservan residuos de las religiones africanas, y con éstas el lenguaje ritual, sacramental. Este lenguaje lo hablan los sacerdotes y lo conocen, al menos parcialmente, los creyentes. Pero el número de éstos es reducido, y la mayoría de las palabras se usan para el rito, no para la comunicación, por lo que sólo un escaso número ha pasado al español local.

4.9. Xenismos

Las lenguas indoamericanas no pueden considerarse extranjeras para el español de América. Lo mismo puede decirse de las africanas en las regiones americanas con población negra; no son autóctonas estas lenguas, pero tampoco lo es el español, y lo africano es tan parte integrante de la cultura de dichas regiones como lo es lo hispánico o lo indoamericano.

Otras lenguas que sí son extranjeras (el francés, el inglés, el italiano y el portugués son las más importantes) contribuyen en mayor o menor cantidad al español general y, como podría esperarse, al americano. No hay que alarmarse; no hay lengua moderna donde no abunden los *xenismos* (préstamos de lenguas extranjeras). Son inevitable resultado del progreso en los medios de comunicación, y del mayor desarrollo de diferentes campos de la cultura y la técnica por los hablantes de cada lengua particular; véase por ejemplo el enorme número de préstamos del italiano en el campo de la música. Son además los xenismos en muchos casos deseables, por cuanto enriquecen y dan flexibilidad y precisión a las lenguas.

Por otra parte el español no se queda atrás, y contribuye al léxico de otras lenguas tanto como cualquiera. Al inglés, por citar un caso, contribuye *alligator* (< el lagarto), *cockroach* (< cucaracha), *cowboy* (< vaquero, es calco), *galleon* (< galeón), *guerrilla* (significa 'guerrillero'), *hoosegaw* (< juzgado, quiere decir 'cárcel'), *lasso* (< lazo), *ranch* (< rancho) y *rodeo,* entre otras muchas. Son de origen indoamericano pero llegan al inglés como préstamos del español *avocado* (< aguacate), *barbecue* (< barbacoa), *canoe* (< canoa), *cocoa* (< cacao), *chocolate, hammock* (< hamaca) y *hurricane* (< huracán). Es curioso que dos de ellos hacen 'viaje de ida y vuelta', es decir que son luego retomados por el español como préstamos del inglés: la redundante *guerra de guerrillas,* que es un calco del inglés *guerrilla warfare,* y salsa de *barbecue.*

Siendo el español lengua de cultura, en contacto y comunicación constante con otras lenguas y sus culturas, no es extraño ver en ella abundantes xenismos. Hasta principios del siglo XX el mayor caudal de aportaciones modernas procede del francés. Entre los galicismos que por caracterizar al español americano pueden considerarse americanismos, están los siguientes: *adición* 'cuenta' (Río de la Plata), *amasar* 'acumular', *arribista* 'advenedizo', *avalancha* 'alud', *banal* 'trivial', *bayú* 'prostíbulo' (Cuba), *chofer* con acentuación aguda, el peninsular *chófer* tiene un étimo inmediato en el inglés, *flamboyán* 'árbol tropical', *fuete* 'látigo', *masacrear* 'matar', *musiú* 'extranjero' (Venezuela), *petipuá* 'guisante' (Antillas), *plafón* 'techo, cielo raso' y *rol* 'papel'.

La contribución del portugués es menor. Son lusismos *cachaza* 'impureza en el proceso industrial del azúcar' y 'aguardiente de caña', *conchabarse* 'contratarse para trabajar', *criollo* 'propio del país', *facón,* 'puñal grande usado por los gauchos', *falencia* 'bancarrota', *garúa* 'lluvia ligera' y *mucama* 'sirvienta'. En las regiones fronterizas con el Brasil del Urugua y Paraguay el contacto de lenguas hace que la influencia sea mayor. Igual sucede en Venezuela por la inmigración portuguesa.

Otra inmigración, la italiana al Río de la Plata, y más recientemente a Venezuela, también deja de sentir su influencia en esas regiones. En Buenos Aires llega a crearse una lengua criolla, el *cocoliche,* mezcla de italiano y español. *Chao* 'adiós' es el italianismo que más se ha difundido, pero en la región rioplatense son de uso general muchos otros: *bacán* 'elegante, fiestero', *cachar* 'coger, tomar el pelo', *capuchino* 'café con leche en taza pequeña', *manyar* 'comer', *mina* 'muchacha' y *pibe* 'niño'.

En Cuba, Panamá y Perú hay colonias chinas que han influido sobre las culturas y costumbres locales, pero sus aportaciones al léxico son mínimas. Entre los pocos xenismos de origen chino pueden darse *achón* 'banquero de juego ilícito' y 'fuerte o poderoso' (Cuba) por etimología popular *hacha* adquiere la última acepción, *chifa* 'restaurante chino' (Perú) y *tautaya* 'sobras de comida' (Cuba). *Chaúcha* 'comida' pudiera tener dos étimos: uno chino en Cuba, el otro quechua en la región andina. Parece más probable que este último sea el real, no siendo pues chino, sino quechua el origen de la palabra.

En lo que va de siglo la lengua que más préstamos ha contribuido al español es el inglés. López Morales (1971) da 84 anglicismos para el español de La Habana; Lope Blanch (1974) encuentra 170 en el castellano de la Ciudad de México. Ambas investigaciones consideran exclusivamente la lengua de hablantes cultos de zonas urbanas, pero es en ella precisamente donde mayor número de xenismos se podría esperar. Pratt (1980) analiza más de millar y medio de anglicismos del español peninsular contemporáneo. La metodología y fuentes de Lope Blanch y López Morales son muy diferentes de las de Pratt, por lo que las cifras anteriores no pueden compararse. Si los dos primeros investigadores hubieran considerado la prensa, la radio, la televisión y la conversación libre (en vez de seguir el método de la encuesta mediante cuestionarios), parece seguro que el número sería algo mayor, sobre todo si se analizaran los materiales para incluir no sólo los préstamos simples, sino también los calcos y las transferencias semánticas. Pratt hubiera logrado un número mucho menor de no haber incluido el corpus que aparece en los diccionarios que manejó. Pero en todo caso parece evidente que no es considerable la diferencia de número entre los anglicismos en uso en la Península y los que se usan en América.

Algunos préstamos del inglés muy frecuentes en España no forman parte del inventario hispanoamericano: *auto-stop, camping, yeyé,* por citar algunos. Igualmente ocurre a la inversa: *cloche* 'embrague', *chance* 'oportunidad', y el calco *llamada de larga distancia* 'conferencia', también sólo por dar una muestra. En otros casos un mismo étimo se adapta de manera diferente: *aparcar/parquear, multicopiar/mimeografiar, talonario de cheques/chequera.*

El área del léxico más afectada en Hispanoamérica es la de los deportes, sobre todo al norte del paralelo ecuatorial por la presencia del béisbol. Como señala Rosenblat, «más importante que la terminología misma, de ámbito siempre circunscrito, es su incorporación metafórica al habla corriente» (1969, IV: 143). A renglón seguido da una serie de ejemplos muy ilustradores: *jit, jonrón* o *botar la pelota* todos con el sentido de 'éxito', *coger fuera de base* 'coger desprevenido', *poncharse* 'fracasar'. De los deportes procede aproximadamente una tercera parte de las muestras citadas de Lope Blanch y López Morales. También notablemente influidas por el inglés son las áreas léxicas que tratan de la tecnología (parece la más afectada en la Península), la alimentación, el vestuario y las diversiones.

4.10. Otros factores

La diversidad dialectal, ya se ha dicho varias veces, existe por el mero hecho de estar los hablantes de la lengua dispersos sobre el territorio, impedidos los de una región de mantener comunicación constante con los de otras. Influye también el desarrollo histórico de cada grupo, su composición étnica y las otras lenguas con las que ha tenido o tiene contacto, así como los aspectos y la intensidad de ese contacto. Pero el léxico de una región cualquiera refleja además las condiciones de vida de los hablantes (rural o urbana), la geografía (montañas, llanos, selvas, regiones costeras o interiores), el clima, las bases de la economía local (minería, industria, pesca, ganadería, etc.), e inclusive la estructura social y política.

Hispanoamérica cubre un extensísimo territorio y obviamente es enorme la diversidad de los aspectos anteriores. Unas regiones son insulares, otras continentales; desde Venezuela al norte hasta

Perú al sur cada uno de estos países tienen al menos tres regiones geográficas bien diferentes, la selva, la montaña y el altiplano, y la costa; la pampa, la enorme región llanera rioplatense tiene su equivalente en Colombia y Venezuela. El clima recorre toda la gama desde el tropical hasta el antártico. Las condiciones de vida van desde la aislada vivienda del morador de los llanos o la selva hasta la del ciudadano de la mayor metrópolis del mundo, México, con más de quince millones de habitantes. La mezcla étnica incluye poblaciones casi exclusivamente de origen europeo (Argentina, Uruguay y Costa Rica), y otras poblaciones con una variada proporción de mezcla del elemento europeo con el africano o con el indoamericano. No hay ni que decir que en la economía hay tanta variedad como en los demás aspectos.

Todos estos factores influyen sobre las hablas locales. En las pampas el vocabulario refleja los aspectos ganaderos de su economía, de sobra conocidos por vía de la literatura gauchesca. En las regiones andinas abundan las palabras que expresan la vida en las tierras altas: *pongo* 'desfiladero', *puna* 'altiplano desolado' y 'mal de alturas', *quingo* 'curva muy cerrada de camino de montañas', *soroche* 'mal de alturas', *surumpe* 'inflamación ocular producida por el reflejo de la nieve'.

La implantación de un régimen comunista en Cuba ha afectado al léxico, obligándolo a reflejar las nuevas circunstancias sociales y políticas. Las formas de tratamiento tradicionales, *señor, señora, señorita,* desaparecen al tildárselas de 'burguesas'; son sustituidas por *compañero, compañera* y *compañerita.* Estas formas, sin embargo, no se usan con los desafectos evidentes al régimen (exprisioneros políticos, personas que no ocultan sus creencias religiosas, los que solicitan permiso para emigrar, etc.), para éstos se reserva *ciudadano, ciudadana,* que adquieren en consecuencia connotaciones negativas.

4.11. Tabuismos, disfemismos y eufemismos

No hay que llegar a posiciones extremas como la whorfiana para reconocer que el lenguaje refleja la cultura de sus hablantes, y las valorizaciones positivas y negativas que se hacen dentro de esa cultura. En toda cultura existen áreas prohibidas, *tabuizadas,* en cualquier circunstancia o sólo en determinadas situaciones. La blasfemia (en sentido recto) y el sacrilegio están proscritos absolutamente por todas las culturas; hay en cambio expresiones groseras que son inaceptables en ambientes formales, particularmente si el grupo incluye personas de ambos sexos, pero que no ofenden en conversación informal entre hombres. Los tabuismos son palabras o locuciones que expresan conceptos *tabuizados* total o parcialmente, y que deben evitarse

Los *disfemismos* son palabras o locuciones intencionalmente peyorativas, despectivas o insultantes. Los tabuismos no son siempre disfemismos, ni viceversa. En partes de España la palabra 'culebra' es un tabuismo, pero no tiene significado despectivo ni insultante, no es un disfemismo. Aunque 'carajo' etimológicamente se refiera a órganos sexuales y era por lo tanto un tabuismo, en Hispanoamérica la gran mayoría de los hablantes no tienen consciencia de su significado de origen (en España es más conocido); para la mayor parte de los hispanoamericanos es simplemente un disfemismo, no es para ellos un tabuismo. Desde luego que con mucha frecuencia los tabuismos y disfemismos coinciden.

No siempre es posible evadir los temas tabuizados, pero las palabras que los denotan pueden sustituirse por formas aceptables, los *eufemismos.* Así 'me caso en diez' es en España la forma eufemística de una blasfemia. Los disfemismos pueden también disfrazarse: 'caray' por 'carajo'. Además de ser formas sustitutivas de tabuismos y disfemismos, los eufemismos sirven también para lograr un tono más elevado ('cabello' por 'pelo'), o para atenuar una situación penosa o desagradable ('impedido' por 'cojo', 'embriagado' o 'alegre' por 'borracho').

Según Bataille (1969) se puede «formular la proposición aparentemente absurda de que el tabú existe para fines de la violación». Sin perjuicio de la validez de esta afirmación, una de las características del español de América es que en él casi nunca se viola el tabú que afecta a las expresiones blasfemas o sacrílegas, lo que no sucede en la lengua peninsular. Por eso expresiones que en España son verdaderos eufemismos (me caso, o me cachis, en diez, en la ostra, etc.) en América son eufemismos 'residuales'. Es decir que quedan en la lengua como simples exclamaciones, pero no evocan las locuciones sacrílegas de las que proceden; el hablante americano promedio seguramente reconocerá el valor eufemístico de la primera parte de la expresión (caso o cachiz = cago), pero no el de la segunda parte (diez = Dios, ostra = ostia). Larry Grimes sostiene que para el español mexicano no existe «la posibilidad de expresiones blasfemas» (Griines 1978: 12); la afirmación es válida para el español de casi todo el hemisferio.

También de dimensiones continentales es el disfemismo más característicamente americano: la mentada de madre. Tan grande insulto representa que entre adultos puede terminar en un hecho de sangre; entre niños provoca golpes. La forma abreviada (tu, o su, madre) es injuria suficiente para que el hispanoamericano sistemáticamente sustituya 'mamá' por 'madre' para aludir a la propia, o a la de personas a las que no se quiere ofender.

Los otros campos semánticos generalmente tabuizados (sexo, excreciones corporales, etc.) también lo son en la modalidad americana. Para ellos, naturalmente, existen eufemismos, que también se usan para los defectos físicos, mentales y morales, para la pobreza, la estupidez, la edad avanzada (en sí un eufemismo), las enfermedades mayores, la muerte, así como para evitar la mención de hechos, cosas o entes a los que la superstición confiere naturaleza peligrosa.

La mayoría de los tabuismos, disfemismos y eufemismos se comparten con la Península. Otros son palabras de la lengua general que han adquirido valor negativo o sustitutivo en América o en algunas regiones americanas. Las otras fuentes de americanismos (la jerga marinera, las lenguas indígenas y africanas, otras lenguas europeas) también contribuyen. Son marinerismos *singar* (Antillas), *chingar* (México y Centro América), ambos 'realizar el acto sexual', y *flota* (Venezuela, Colombia) 'mentira'. Entre muchas expresiones de origen indoamericano están *joto* (México) y *cachero* (Chile) 'homosexual', y *guayaba* (muy difundida) 'mentira'. Afronegrismos son *cundango* (Antillas) y *mandinga* (Costa Rica) 'homosexual'. Son xenismos *blof* 'mentira' (anglicismo) y *frechco* (lusismo, en Perú) y *bugarrón* (galicismo, en Cuba) ambos 'homosexual'. Lo anterior claro que es sólo una pequeñísima muestra. Algunos tabuismos, disfemismos y eufemismos son generales a toda América; otros no existen en todas las regiones, o varían de significado de una a otra región.

Las expresiones tabuizadas o disfemísticas en un lugar pueden en otros carecer de matiz negativo; esto puede resultar para el viajero español o hispanoamericano en situaciones o momentos engorrosos. Los siguientes ejemplos ilustrarán lo dicho. En Puerto Rico *bicho* es 'pene'; se refieren a las partes pudendas de la mujer *bollo* y *papaya* en Cuba; lo mismo *concha* en el Cono Sur; *coger* indica el acto sexual en el Río de la Plata y México, además de en otras partes; *chingar* es disfemismo en México, pero se usa también sin ese carácter y con diferente significado en el Cono Sur y en Perú; en México *huevo* ha dejado de ser eufemismo por 'testículo' para convertirse casi en su sinónimo; *pájaro* carece de connotaciones en varios países, pero en otros significa 'pene', y aun en otros 'marica' (el mismo significado tiene *pato); puto* es en México y Argentina también 'marica', mientras que en Perú y en Cuba es 'mujeriego'. El matiz negativo de un vocablo cuya referencia tiene una frecuencia elevada de uso exige una solución. 'Animalito' o 'insecto' toman el lugar de *bicho* en Puerto Rico; 'agarrar' se ha generalizado en las regiones donde *coger* es tabú; en el occidente cubano 'fruta bomba' sustituye por *papaya;* 'blanquillo' es la forma general por *huevo* como producto de la avicultura en México. La muestra debe bastar para demostrar la necesidad de incluir tabuismos, disfemismos y eufemismos en los diccionarios. Kany (1960) ofrece una lista para la época muy completa, que hoy, por supuesto, ya no está al día.

4.12. Lexicografía

La lexicografía, el arte de componer diccionarios, tiene una larga tradición en América; se remonta al siglo XVI cuando proliferan los *vocabularios* de lenguas indígenas, o de éstas y el español. La enorme mayoría de los diccionarios no trata de incorporar todo el léxico de América ni de una región particular, sino de expresar aspectos especiales de la lengua. Sólo muy recientemente se han empezado a publicar diccionarios generales (México, Argentina). Una buena parte de la labor lexicográfica no es descriptiva sino prescriptiva, pero la prescripción es de carácter negativo; no se dan las palabras aceptadas sino las rechazadas.

Otro tipo de diccionario (de carácter descriptivo) que ha tenido mucha aceptación es el que trata de dar aquellas palabras o acepciones que caracterizan a una región o toda la América; son diccionarios de *regionalismos* o *americanismos.* En cuanto al español americano Martínez sostiene que «con Alcedo comienza la lexicografía hispanoamericana de términos provinciales» (Martínez 1968: 90; la traducción es nuestra); la referencia es a Antonio de Alcedo y su *Vocabulario de las voces provinciales de América,* de 1789. Entre los regionales uno de los más antiguos, y ciertamente el mejor para la época, es el *Diccionario provincial cuasi-razonado de voces cubanas* de 1836, por el dominicano Esteban Pichardo. Morínigo dice de este último que el 'libro para el cual todas las alabanzas son pocas y cuya técnica, a siglo y cuarto de su publicación, no ha sido aun sensiblemente mejorada» (Morínigo 1964: 223-224).

Los diccionarios regionales que siguen al de Pichardo varían en calidad y son innumerables; no podemos pretender darlos sin convertir a esta obra en una relación bibliográfica. Entre los de cobertura continental los más recientes son los de Morínigo (1966) y Neves (1973). Representan un gran esfuerzo, realizado con muy escasos medios, y son de indudable utilidad por el número de americanismos que traen. Sin desconocer sus méritos hay que reconocer también sus limitaciones. Haensch (1980) les señala entre otras las siguientes: 1) incluyen 'americanismo de origen', es decir, palabras que ya hoy están incorporadas a la lengua general; 2) omiten voces tabuizadas, general o regionalmente; 3) incluyen palabras que se usan en la Península con el mismo sentido y frecuencia; y 4) omiten americanismos de uso frecuente.

Es obvio que aunque la lexicografía es un campo muy trabajado en la América española, falta mucho por hacer. Esperemos que algún día se resuelvan los obstáculos principales a la realización de la necesaria labor de calidad: la escasez de medios técnicos y de recursos económicos.

CAPITULO V
Morfosintaxis

5.0. Consideraciones generales

El campo menos estudiado de la dialectología hispanoamericana es el que se discute en este capítulo. Esto es así aun para aquellas limitadas regiones donde se han hecho, o se están haciendo, investigaciones conducentes a un atlas lingüístico. La sección de 'gramática' de un cuestionario se restringe a unos pocos fenómenos marginales: género, número, derivación, formas de tratamiento y algunos aspectos particularmente distintivos del verbo, el pronombre, etc. Un libro del calibre de *El español en Puerto Rico* de Navarro Tomás en la edición que hemos manejado dedica sólo 20 páginas a 'gramática', de un total de 232, excluidos de ese total los textos, los mapas y los índices.

La situación no es exclusivamente característica de la dialectología hispanoamericana. En una obra clásica como la *Dialectología española* de Zamora Vicente se encuentran para el andaluz, por ejemplo, 44 páginas, de las cuales menos de tres se dedican a morfología y sintaxis. Igualmente sucede, por regla general, en los estudios dialectales regionales o nacionales de otras lenguas. Los dialectólogos en todas partes han favorecido al léxico y a lo fonológico/fonético, y pasado muy por encima de la morfología y la sintaxis.

En justicia hay que reconocer que esta actitud no es del todo arbitraria. La recolección de materiales dialectales es un proceso arduo, y sobre todo lento; y lo que es aún más por la general escasez de fondos para investigaciones de esta naturaleza, inclusive en los países más ricos. La extensión que tendría que tener un cuestionario que le hiciera justicia a la morfosintaxis, haría a las encuestas todavía más lentas y dificultosas de lo que por sí son. Por otra parte la sintaxis es el área que más necesita de un enfoque teórico. Vista la rapidez en el desarrollo de las teorías lingüísticas, los que estuvieran a cargo de la elaboración del cuestionario podrían con razón pensar que mucho antes de terminarse la recolecta de materiales, las bases teóricas de esta parte estarían obsoletas.

Aparte de las consideraciones prácticas anteriores, pensar que este campo de la dialectología es el que menos investigación requiere es una posición al menos parcialmente justificada. Efectivamente la sintaxis es el área donde más homogeneidad hay de dialecto a dialecto. Las diferencias dialectales son mayores, y más obvias, en el léxico, en la fonética y aun en la fonología, que en la morfología, y particularmente que en la sintaxis.

De todo lo anterior no debe deducirse que no existan valiosas investigaciones sobre la morfología y la sintaxis del español o castellano de América. Basta echar un vistazo a las bibliografías y revisiones críticas y a las actas de congresos para ver que los lingüistas hispanoamericanos, o que estudian lo hispanoamericano, han estado muy activos en este campo, sobre todo en los últimos años. Pero, de una parte, es difícil relacionar los trabajos de unos y otros autores sobre diferentes fenómenos en variadas regiones para lograr una perspectiva continental; y, de otra parte, aunque el número de trabajos ha aumentado, falta todavía mucho por lograr lo requerido, salvo en algunos temas. Aún es válido lo dicho por Lope Blanch hace algunos años:

> *Existen... algunos meritorios trabajos gramaticales de alcance local, regional o inclusive nacional, pero no los suficientes, ni mucho menos, como para que se pueda pensar por el momento en realizar el estudio de carácter global o panamericano* (Lope Blanch 1968: 58).

Sí hay algunos aspectos morfológicos o sintácticos que se han investigado lo suficiente como para discutir sus características y extensión. Los más importantes son: la nivelación de la oposición *vosotros/ustedes;* la ausencia casi total de *leísmo* y *laísmo;* y el *voseo.*

5.1. Pérdida de vosotros

La simplificación de la segunda persona del plural (la pérdida de *vosotros* quedando *ustedes* como plural único tanto para *tú* como para *usted)* es uno de los dos únicos hechos dialectales que cubre absolutamente todo el territorio americano. El otro hecho que tiene igual extensión no es morfosintáctico: la ausencia del fonema /θ/. Los paradigmas correspondientes se enseñan incluyendo a *vosotros* y formas relacionadas en todas las escuelas, pero la forma ha desaparecido completamente de la lengua hablada y escrita, a todos los niveles de cultura. Al hispanoamericano que se le ocurriera usarlo, aun en la oratoria más formal, se le tendría por pedante, o cursi.

5.2. Ausencia de leísmo y laísmo

La gramática académica hasta muy recientemente prescribía el uso de *lo, los* y *la, las* para el complemento directo, y de *le, les* para el indirecto. En la Península, sin embargo, se desarrollaron dos usos divergentes: el de *le* como complemento directo para el masculino humano, llamado *leísmo;* y el de *la* como complemento indirecto femenino, generalmente humano, llamado *laísmo.* El *leísmo* es general y aceptado a todos niveles en España; al *laísmo,* menos difundido, aún se le considera subestándar. Ejemplo de leísmo es 'A José *le* vi', y de laísmo 'A Marta *la* hablé'; la prescripción académica durante mucho tiempo exigía 'A José *lo* ví' y 'A Marta *le* hablé'.

Con raras excepciones ninguno de los dos fenómenos se da en América. En la lengua hablada el leísmo sólo se oye en la región serrana del Ecuador, y en partes del Paraguay, Perú y Puerto Rico. El uso además no coincide exactamente con el peninsular, pues *le* se da como complemento directo tanto (o casi tanto) para el femenino como para el masculino.

Hasta hace algunos años había escritores hispanoamericanos que eran leístas al narrar, pero no en los diálogos. Igualmente en la lengua escrita se encuentran algunos pocos ejemplos de laísmo, pero este último fenómeno no se produce en la lengua hablada de parte alguna del hemisferio. En resumen, salvo en los lugares citados del Ecuador y Paraguay, en América se mantienen perfectamente distinguidas las formas correspondientes de los complementos directo e indirecto.

5.3. Voseo

Entiéndase por *voseo* el uso de *vos* por *tú;* es decir, que *vos* sustituye a *tú* como forma de tratamiento familiar o informal. Puede decirse que en América hay regiones *voseantes,* donde el uso de *vos* es general; *tuteantes,* donde sólo se usa *tú;* de conflicto entre *voseo* y *tuteo,* en las que una y otra forma alternan; e inclusive, según se dirá más adelante, regiones *ustedeantes.*

El fenómeno del *voseo* tiene sus orígenes en los años de la conquista y primeros de la colonización. La existencia de ambas formas en España durante esa época fue, según Rafael Lapesa, «la circunstancia necesaria para que se produjeran tanto las interferencias entre los dos tratamientos (conflicto entre *voseo* y *tuteo),* cuanto las distintas soluciones *(voseo* o *tuteo* generales) adoptadas» (Lapesa 1970: 519; las dos frases parentéticas en la cita son nuestras). Efectivamente hasta cerca de los principios del siglo XVI *vos* es tratamiento de nobleza y distinción, siendo *tú* la forma usada para dirigirse a los de rango inferior. A partir de esa fecha y durante el resto del siglo XVI la situación se invierte en la Península y *vos* «descendió de su condición hidalga a una nueva, plebeya o vulgar. En compensación, *tú* pasó a llenar su hueco, especialmente en la vida familiar (en la pública se generalizó *vuestra merced*» (Zamora Vicente 1967: 408). *Vos* desaparece luego en España, salvo para usos especiales.

Cualesquiera que fueran las jerarquías del uso, lo cierto es que ambas formas estaban presentes en los momentos formativos del español americano, por lo que cada región de América podía optar por una u otra. Parece razonable el criterio de Lapesa, según el cual *vos* desaparece, se opta por *tú* en pleno período colonial, paralelando o imitando la situación peninsular, en las regiones donde es mayor el contacto e influencia de la metrópolis. En cambio el *voseo,* o el conflicto entre éste y el *tuteo,* se retuvo «en extensas regiones de América menos influidas por las normas que prevalecían en la Península» (Lapesa 1970: 519).

En las regiones voseantes, sin embargo, se perdieron las formas correspondientes a *vos:* el pronombre completo *os* y el posesivo *vuestro. Vos* se usa con las formas correspondientes a *tú* (salvo generalmente para los verbos): *te* y *tu/tuyo.* La oración

Vos os gastáis vuestro dinero solamente con las amigas vuestras se diría en la Argentina, por ejemplo, *Vos te gastás tu dinero solamente con las amigas tuyas.*

José Pedro Rona distingue cuatro formas verbales con que se construye el pronombre *vos,* a las que corresponden las desinencias siguientes en las tres conjugaciones (Rona 1964: 221 y siguientes):

Tipo A:	-áis	-éis	-ís	(morfología de *vosotros)*
Tipo B:	-áis	-ís	-ís	
Tipo C:	-ás	-és	-ís	
Tipo D:	-ás	-es	-es	(morfología de *tú)*

El tipo A no se encuentra en América; el D se da sólo en la provincia argentina de Santiago del Estero. El tipo B se encuentra en la sierra del Ecuador, en el sur del Perú, el noroeste argentino, Chile y el suroeste de Bolivia. La morfología verbal más difundida para el *voseo* es la de Tipo C, que es la que caracteriza a la Argentina (salvo las regiones señaladas arriba), al Uruguay, a Paraguay y Bolivia (salvo la región boliviana antes dicha), a la costa del Ecuador, a Colombia, Venezuela, Panamá, Centro América y al sur de México. Téngase en cuenta que en muchas de estas regiones hay zonas, a veces las mayores, donde no hay voseo (véase el capítulo sobre «Geografía Lingüística»).

En todas las regiones voseantes se enseñan las formas verbales del *tú* (y éste como pronombre) en las escuelas, igual que en toda América se enseña el desaparecido *vosotros,* como antes señalamos. El uso según clases sociales, grado de formalidad de la situación y niveles de educación varía de región a región. Este uso va desde lugares donde sólo aparece entre las clases menos educadas y en la lengua hablada muy familiar de las clases cultas, hasta el de zonas como la Argentina y el Uruguay, donde se usa por todas clases sociales, en todos los ambientes, y tanto en la lengua escrita como en la hablada.

5.4. Otras formas pronominales

La forma que sigue al *voseo* en difusión es el *tuteo.* Hay sin embargo otro uso que por analogía podríamos llamar *ustedeo,* y regiones, también analógicamente, *ustedeantes.* Son aquellas regiones en las que *usted* se usa para situaciones informales, familiares y de cariño; por lo general el *ustedeo* no es la forma exclusiva, sino que comparte con el *voseo* o el *tuteo*. Son regiones *ustedeantes* en mayor o menor grado: Argentina, Uruguay, Venezuela y Colombia, pero muy particular y notablemente el centro de Chile y la sierra del Ecuador. En pequeñas regiones aisladas de Sur América, como en partes de España (León), *él* y *ella* alternan con *tú* o *vos*. Ejemplo de esto es la frase '*Ella* debe estar cansada, siéntate', donde *ella* es la misma persona a la que se le indica que se siente.

5.5. Preferencias verbales

Quizá la preferencia verbal (es cuestión estadística, de frecuencia, no de exclusividad de uso) que más distingue al uso americano general del peninsular es la del pretérito simple o indefinido en América, para situaciones donde el uso peninsular prefiera al pretérito perfecto *(comí* por *he comido)*.

También cuestión de frecuencia de uso es la preferencia americana general por las locuciones con *ir a + infinitivo,* que reemplazan al futuro. Otras formas perifrásticas para el futuro son *haber de + infinitivo* (etimológicamente una de las dos opciones del castellano antiguo; la que triunfó, fundiéndose ambos verbos fue *infinitivo + haber, comer he > comeré),* y *va y + presente;* esta última sobre todo en Centro América y norte de Sur América. En general son mucho más frecuentes las formas perifrásticas que las sintéticas para el futuro.

Las formas en *-se* del imperfecto de subjuntivo casi han desaparecido de la lengua hablada americana, desplazadas por las formas en *-ra.* Sólo en la lengua escrita se retienen las formas con *s,* como recurso estilístico para evitar la redundancia fonética, cuando hay que usar varios imperfectos de subjuntivo en sucesión.

Asimismo las formas del imperfecto de subjuntivo (en *-ra)* se extienden para sustituir al pluscuamperfecto de indicativo *(comiera* por *había comido),* particular pero no exclusivamente en la lengua hablada de las clases menos cultas. También, en los mismos niveles de uso, se extiende a la apódosis de las oraciones condicionales: 'Si la envidia fuera tiña, cuantos tiñosos *hubiera*'. Se trata, claro está, de un desplazamiento del condicional.

Las formas verbales en *-re,* o sea el futuro hipotético o de subjuntivo, pueden considerarse perdidas en España y en la mayor parte de América. Esta forma sin embargo sobrevive en Puerto

Rico, República Dominicana, en el norte de Venezuela y Colombia, en la sierra del Ecuador: 'Si él *viniere* mañana no tendríamos donde alojarlo'. Germán de Granda (1968), Lapesa (1980: 589) y otros consideran que es rasgo adquirido en los primeros años de la colonización (aparece también en Canarias); esto presupone la supervivencia de la forma en *-re* en la lengua hablada peninsular hasta fines del primer cuarto del siglo XVI, y su pérdida posterior. La hipótesis parece razonable, pero no explica el uso en el Ecuador, colonizado bastante después.

5.6. Diferencias en el orden sintáctico

El orden de los elementos, a nivel de frase o de oración, difiere a veces del de España, en todo el hemisferio o en una o varias de sus regiones. Son generales a toda América las formas *más nada, más nadie* y *más nunca,* frente al uso peninsular de *nada más, nadie más* y *nunca más.* También es general la anteposición del posesivo en los vocativos: '*Mi hijo,* no hagas eso' o '¿Cómo está, *mi* tía?' Tan general es este uso que en la lengua hablada casi puede de decirse que se lexicalizan *mijo* 'mi hijo', *mija* 'mi hija', *mijito* 'mi hijito' y *mijita* 'mi hijita'. En la Península sólo ocurre la anteposición en el uso militar: 'mi teniente', 'mi general'.

La pluralidad de usos posibles de *su* (de Ud., de Uds., de él, de ellos, de ella, de ellas), agravado por la ausencia de *vuestro,* ha hecho que en América general y subconscientemente se lo piense limitado a *Ud.* En consecuencia este posesivo en otros casos, para otras personas, se usa casi siempre en la forma pospuesta: 'el libro *de él'* más bien que '*su* libro'. Por analogía el uso se ha extendido a la primera persona del plural, por lo que resulta más frecuente 'la casa *de nosotros'* que '*nuestra* casa'.

Quizá el caso más interesante y llamativo de diferencia de orden en la estructura de superficie o patente, por comparación con España, es el del pronombre sujeto en relación con el verbo. Muy conocido es el uso en las Antillas, Venezuela, Río de la Plata y algunas otras partes de '¿Qué *tú* quieres?' donde la norma prescribe '¿Qué quieres *tú?'.* Ya hablamos de esto en el primer capítulo.

La misma anteposición (o más bien, ausencia de posposición) es general en América para el pronombre sujeto de infinitivo: 'al *él* sentarse', 'para *yo* tomarlo', 'sin *tú* querer'. Con relación al sujeto de infinitivo, la ausencia de posposición incluye no sólo a los pronombres, sino también a los nombres: Kany cita 'Este salón es para *la gente* bailar' y 'a los tres meses de *mamá* morir' «Kany 1951: 126). Lo mismo ocurre en otras situaciones de subordinación, aunque el verbo no esté en infinitivo: 'Para entonces tendré más idea de como *ella* piensa'.

Existen muchos otros usos divergentes, tanto morfológicos como propiamente sintácticos. Presentarlos exigiría no un capítulo sino todo un tomo. Los que hemos dado son los más destacados, y menos locales. Recuérdese por último lo que dijimos al principio del capítulo, en sintaxis la unidad de la lengua es mucho mayor que en el léxico o la pronunciación, tanto a nivel patente como a nivel subyacente.

CAPITULO VI
Geografía lingüística

6.0. Antecedentes

En el capítulo primero se explicó cómo las fronteras entre dialectos se determinan sobre la base de las *isoglosas* de los fenómenos lingüísticos que caracterizan a una región. La mayor concentración, los haces de isoglosas, indica dónde termina un dialecto y comienza otro. Se dijo también que esos límites, las fronteras dialectales mayores o menores, nunca son del todo precisos, pero que representan una aproximación conveniente y razonable. A pesar de su imprecisión los límites son necesarios, puesto que toda ciencia requiere unidades de regularización, aunque el científico reconozca que la regularidad no es absoluta.

La ciencia que estudia los límites y la distribución territorial de los fenómenos dialectales es la *geografía lingüística* o *dialectal*. Este, como otros campos de la lingüística, no es muy antiguo. A George Wenker se le considera el iniciador, por sus estudios sobre la distribución geográfica de fenómenos del alemán, iniciados en 1876. Como dato curioso puede señalarse que los resultados no coincidieron con lo que el investigador esperaba encontrar. Wenker intentaba probar las teorías fonéticas de los *Junggrammatiker,* y éstas salieron mal paradas de la empresa. Sin embargo los mapas dialectales de Wenker sirvieron de pauta para los que luego continuarían en el mismo campo de investigación, desarrollándolo por su propio valor, no por probar ideas o teorías ajenas.

La obra que más ha influido sobre los estudios posteriores la iniciaron en 1897 Jules Gilliéron y su colaborador Edmond Edmont. El resultado fue la publicación, entre 1902 y 1908 del *Atlas Linguistic de la France* (ALF). El tiempo ha permitido refinar la metodología, y hoy se cuenta con instrumental muy útil, principalmente las grabadoras magnetofónicas y electrónicas, pero los procedimientos son en lo principal idénticos a los de Gilliéron.

Juan M. Lope Blanch, que dirige unos trabajos de geografía dialectal que prometen ser los mejores sobre dialectos del español (los volveremos a mencionar), nos dice que los atlas lingüísticos «son el instrumento más sistemático, homogéneo y —tal vez— económico para descubrir y presentar el estado en que se halla, en un momento determinado y en su estructura general, cualquier sistema lingüístico» (Lope Blanch 1975: 127). Para confeccionar dicho instrumento, el atlas lingüístico, previamente se preparan cuestionarios y se seleccionan los puntos más idóneos del territorio que se estudiará; procediéndose luego a realizar en los lugares determinados encuestas basadas en los cuestionarios dichos. Los resultados se trasladan a mapas (atlas), lo que permite percibir rápida y totalmente la distribución de los fenómenos dialectales, y la caracterización de todo el territorio, o de cualquiera de sus partes. Las isoglosas que pueden montarse sobre el atlas hacen posible la división del territorio en zonas y subzonas dialectales.

6.1. Atlas hispánicos

Para el español el primer trabajo de esta naturaleza es el *Atlas Lingüístico de la Península Ibérica* (ALPI). Más moderno y también de importancia mayor en la Península es el *Atlas Lingüístico y Etnográfico de Andalucía* (ALEA). De ambos ya se ha publicado una buena cantidad de materiales.

En Hispanoamérica el más antiguo, y el único terminado, es el estudio realizado por Tomás Navarro Tomás sobre el español de Puerto Rico (Navarro Tomás, 1948, terminado casi veinte años antes de publicarse). Al mismo investigador se debe también un cuestionario para la realización de encuestas dialectales, orientado especialmente hacia fenómenos del español americano (Navarro Tomás, 1943); ha servido como modelo en que se basan, al menos parcialmente, los usados para las investigaciones que se tratan a continuación.

Trabajo de mayor envergadura es el *Atlas Lingüístico y Etnográfico de Colombia* (ALEC), que se realiza bajo el patrocinio del Instituto Caro y Cuervo, siendo Luis Flórez el responsable del proyecto. Merece mencionarse, aunque es de menor escala, el *Atlas Lingüístico del Sur de Chile* (ALESUCH). Como ya se dijo, la investigación conceptual y metodológicamente más moderna es la que se realiza por un equipo de investigadores del Colegio de México y de la Universidad Nacional Autónoma de México, bajo la dirección de Lope Blanch; su objetivo es la elaboración de un atlas mexicano con información diastrática, de niveles sociales, basados en la educación en este proyecto.

La confección de un atlas es labor compleja y lenta. Requiere el trabajo de un equipo de investigadores y entrevistadores todos especialmente preparados. El cuestionario del ALPI estaba formado por tres cuadernos, los dos más usados (fonética y léxico) incluían 1.320 preguntas; el cuestionario del ALEC tiene 1.348; el mexicano, 1.000 (fonética 407, léxico 350; morfosintaxis 243). Para el ALPI se visitaron 528 localidades; en un territorio tan reducido como lo es el de Puerto Rico Tomás Navarro consideró necesario realizar encuestas en 43 puntos. En cada uno de los puntos se entrevista a más de un informante. Si a todo esto se añade el costo de empresas de tal envergadura, resultará obvio por qué no se cuenta con más trabajos de esta naturaleza para Hispanoamérica.

6.2. Otros estudios

Aunque éstos hasta el momento son los únicos trabajos de tipo atlas en Hispanoamérica, existe un sinnúmero de estudios e investigaciones sobre uno o varios aspectos particulares, que cubren regiones más o menos extensas. Utilizando toda la investigación anterior, incluyendo mucha de la propia, dos investigadores, Delos Lincoln Canfield y Melvyn Resnick, han producido obras que tienen que mencionarse por su especial utilidad. Ambos trabajos son de cobertura continental.

El volumen de Canfield sobre la pronunciación del español americano estudia los principales hechos fonéticos, tanto diacrónica como sincrónicamente. El autor incluye ocho mapas que ilustran la cobertura geográfica de las variantes alofónicas de varios de los fonemas más caracterizadores (por ejemplo: conservación consonántica, articulación de jota, asibilación de vibrantes; usamos aquí la terminología de Canfield). Aunque los mapas no pretenden tener la precisión de los logrados por el tipo de investigación conducente a un atlas, son de gran valor para el estudio de la geografía lingüística hispanoamericana (Canfield, 1962).

La obra de Resnick es instrumento indispensable de trabajo para el estudioso de la fonética hispanoamericana, e incluye información sobre un hecho de gran importancia para le geografía dialectal, el *voseo*. El autor recopiló la mayor parte de la información disponible y, con la asistencia de computadoras electrónicas, la organizó en forma de tablas. La materia está ordenada tanto según fenómenos como según países y regiones, y en las tablas se dan datos sobre uso, y sobre la obra en que se basa cada entrada. El libro de Resnick facilita el acceso a un gran volumen de información comprobable (Resnick, 1975).

6.3. Las áreas del español

Hasta aquí hemos hablado del castellano o español de América sin cuestionar esa denominación, es decir, sin justificarlo como unidad válida. Tradicionalmente, y de manera quizá un poco superficial, se aceptaba una división primaria del castellano que ponía de una parte al de la Península, y de otra al de América, siendo Canarias un puente entre ambas vertientes. Diego Catalán propuso una división también bipartita, pero para él las partes son diferentes: una la componen los dialectos del centro y norte de España; a la otra la llama el *español atlántico* e incluye en ella el Mediodía peninsular, Canarias y América (Catalán, 1958).

La distinción entre dos variantes peninsulares, la centronorteña y la meridional nos parece correcta, pero estamos de acuerdo con Rafael Lapesa en que para Hispanoamérica, lingüísticamente, «la impresión de comunidad general no está injustificada» (Lapesa, 1980: 534). Principalmente en fonología, pero también en léxico e inclusive en morfosintaxis, hay una indiscutible influencia andaluza en lo americano. Sin embargo, se comparten los problemas pero las soluciones no son siempre idénticas.

Unas muestras ilustrarán lo dicho. En ambas regiones los sonidos que corresponden a las grafías *s, c* y *z* se nivelan, pero donde en Andalucía tanto los resultantes *seseo* como *ceceo* cubren extensos territorios, en América sólo quedan restos de *ceceo* en regiones muy pequeñas y aisladas; la solución casi general americana en el *seseo*. Además hay en Andalucía zonas donde se mantiene la diferenciación (provincias de Jaén y Almería, y partes de las de Huelva, Córdoba y Granada), cosa que no ocurre en parte alguna de América. Otro fenómeno de nivelación compartido por Andalucía y América es el de *l* y *r* posnucleares. En Hispanoamérica la solución casi siempre es *lambdacista (l* por *r, calta* por *carta);* en Andalucía se da también el *lambdacismo,* pero es más general el *rotacismo* (r por *l, arto* por *alto).* En morfosintaxis la nivelación de *ustedes/vosotros* (en *ustedes)* es general en América; en Andalucía se da tanto la nivelación como la retención de la distinción.

Los anteriores ejemplos y otros casos similares, más la existencia de importantes fenómenos que son exclusivamente americanos o andaluces (en fonética, léxico y morfosintaxis) nos llevan a rechazar el concepto del *español atlántico* de Catalán. La división primaria del español o castellano es tripartita: dos modalidades peninsulares, la centronorteña y la meridional, y una americana. La modalidad canaria es difícil de ubicar; quizá lo más acertado sea considerarla efectivamente como puente entre Andalucía y América. El judeoespañol y el español de Filipinas son casos aparte. El español de Estados Unidos se relaciona con modalidades hispanoamericanas.

6.4. Areas del español americano

El español de América es, pues, una unidad diferenciada y reconocible. Como es natural esta unidad existe al contraponerse a las dos modalidades peninsulares, pero cuando se la considera independientemente, se verá que dentro de la homogeneidad hay también diversidad. Es decir que, como sucede también con las otras dos grandes modalidades, tiene variantes internas, puede subdividirse. Compete a la geografía lingüística hacer la división. Esta debe hacerse no sólo por formalizar lo que se percibe impresionísticamente, sino porque resulta necesario para los estudios dialectales, que deben hacerse con conocimiento de los límites dentro de los que se opera, y sabiendo qué fenómenos puede esperarse que se encuentren dentro de esos límites.

El primer intento de establecer las zonas dialectales de la América española que tuviera alguna difusión (la obra en que aparece tuvo al menos dos ediciones) se llevó a efecto en la segunda mitad del siglo pasado por el patriota y filólogo cubano Juan Ignacio de Armas y Céspedes. En puridad la intención de

Armas y Céspedes no era hacer dicha clasificación sino, de una parte, demostrar la inevitabilidad del fraccionamiento del español americano y, de otra parte, probar que las lenguas indígenas antillanas no influyeron sobre el español. La idea del fraccionamiento no le espantaba porque consideraba que «las leyes del transformismo (léase 'evolución') no pueden alterarse en la ciencia filológica, como en ninguno de los ramos a que se extiende el estudio de las ciencias naturales» (Armas Céspedes, 1882: 116). Al tratar de demostrar la inexistencia de los indigenismos antillanos acude a etimologías isidorianas, que a fuerza de disparatadas no dejan de tener alguna gracia, como cuando sostiene que *cazabe* procede del árabe *alcazaba,* 'recinto fortificado', porque los españoles se fortalecían al comer dicho pan de yuca. Sin perjuicio de su intención, lo cierto es que propone cuatro o cinco zonas dialectales. La primera comprende las Antillas, Venezuela, Colombia (que no hay que decir que en la época incluía a Panamá) y, sin más precisión, «alguna parte de Centro América» (Armas y Céspedes, 1882: 115); la segunda, México y Centro América (salvo la indefinida porción anterior). Luego añade una, o acaso dos, en el Pacífico (sin especificarlas), y como última, a Buenos Aires, que debe entenderse comprendiendo a toda la región rioplatense. La obra de Armas y Céspedes es de interés mayormente por corresponderle las primicias en el intento clasificatorio, pero debe reconocérsele además una actitud altamente científica, dentro de los límites y conocimientos de la época, sin perjuicio de las extrañas etimologías mencionadas.

Cronológicamente la siguiente clasificación se debe al dominicano Pedro Henríquez Ureña (1921) quien propuso una división similar a la anterior. Para él la influencia de las lenguas indígenas es el factor principal que determina las cinco zonas siguientes: I) Nuevo México, México y América Central, producto de la mezcla del español con lenguas de la familia mahua; II) Antillas, Venezuela y costa del Caribe de Colombia, determinada por la mezcla del español con caribe y arahuaco; III) región del Pacífico de Colombia, Ecuador, Perú, Bolivia y norte de Chile, mezcla con quechua; IV) centro y sur de Chile, mezcla con araucano; y V) Argentina y Paraguay, mezcla e influencia del guaraní. El fallo mayor de esta clasificación reside en que las lenguas indígenas en cuya influencia mayormente se basa no tienen ni la extensión que se les atribuye, ni son las únicas de importancia en las respectivas zonas. Por otra parte la influencia de factores externos, las lenguas de contacto, no es científicamente aceptable como determinante de la clasificación. En este sentido es preferible el criterio de Juan Ignacio de Armas y Céspedes, que al menos se basa en un factor interno al lenguaje, la evolución natural de los sistemas lingüísticos.

Refiriéndose a la división del filólogo dominicano dice Angel Rosenblat:

> *Más fructífera me parece la diferenciación que también esbozó don Pedro Henríquez Ureña, entre tierras altas y tierras bajas. Yo las distingo, de manera caricaturesca, por el régimen alimenticio: las tierras altas se comen las vocales, las tierras bajas se comen las consonantes* (Rosenblat, 1962: 34).

En el mismo año en que Rosemblat acepta y desarrolla el criterio de Henríquez Ureña citado, Delos Lincoln Canfield (1962) propone una clasificación muy similar. Discrepan Rosenblat y Canfield en cuanto a la razón que determina la diferencia entre las dos grandes zonas. Para Rosenblat, que en esto sigue a Wagner (1927), la diferencia se debe a que andaluces y castellanos se establecieron en regiones similares a las que habitaban en la Península: aquéllos en tierras bajas, éstos en las altas. Para Canfield el español de Andalucía determina de ambas zonas americanas, pero a cada una la afecta en un momento diferente de desarrollo:

> *Por casualidad topográfica, las regiones altas representan generalmente los principios del andalucismo, y las costas el pleno desarrollo* (Canfield, 1962: 96).

Los estudios de Peter Boyd-Bowman (1956, 1963, 1968) sobre las regiones de origen de los pobladores peninsulares, y los lugares americanos en que se establecen, dan la razón a Canfield.

Las clasificaciones de ambos autores, basadas en el fonetismo y con la ventaja de disponer de un más amplio caudal de información, tienen mayor validez científica que la de Henríquez Ureña, y más precisión que la de Armas y Céspedes. Pero las regiones propuestas, tierras altas y bajas, son demasiado extensas para ser realmente útiles al investigador.

Por ser la primera que se sirve de isoglosas para establecer límites, la clasificación propuesta por José Pedro Rona (1964) tiene que ser considerada como el punto de partida para intentos posteriores. Rona utiliza las isoglosas correspondientes a cuatro fenómenos distintos: uno fonético, el *zeísmo;* otro fonológico, el *yeísmo;* el tercero sintáctico, el *voseo;* y el último morfológico, las formas verbales del voseo, que clasifica en cuatro grupos. De la aplicación de estos criterios resultan las zonas siguientes:

1. México (salvo el interior de Yucatán y regiones fronterizas con Guatemala), Antillas, costa del Caribe de Venezuela y Colombia, mitad oriental de Panamá.
2. Las regiones de México excluidas en el número anterior, América Central, mitad occidental de Panamá.
3. Costa del Pacífico de Colombia, interior de Venezuela.
4. Zona andina de Colombia.
5. Zona costera de Ecuador.
6. Zona serrana de Ecuador.
7. Zona costera del Perú, salvo el sur.
8. Zona andina del Perú.
9. Sur de Perú.
10. Norte de Chile, noroeste de Argentina, suroeste de Bolivia.
11. Resto de Bolivia.
12. Paraguay, regiones argentinas fronterizas con Paraguay.
13. Centro de Chile.
14. Sur de Chile, parte de la Patagonia argentina.
15. Regiones «gauchescas» de Argentina, Uruguay (salvo la región ultraserrana y parte de la fronteriza con Brasil).
16. Zona ultraserrana de Uruguay.

Luego añade siete zonas más, entresacadas de las anteriores, definidas añadiendo otras dos características que difícilmente pueden marcarse mediante isoglosas, el contacto con el inglés o el portugués. Rona sobrevaloriza la influencia de dichas lenguas, sobre todo la de la primera de ellos.

A pesar de que esta clasificación se hace con base en un volumen de información más amplio, y de que la actitud es más científica que en las anteriores, las deficiencias saltan a la vista. No se concibe por el que conozca algo de las hablas hispanoamericanas, aunque sólo sea superficialmente, que se incluyan en la misma zona el valle central de México y la República Dominicana, como es el caso de la zona 1. Salvo que estén separadas por el mar, no se justifica la falta de contigüedad de partes de una misma zona, como ocurre en la 3, al reunirse en una misma la costa del Pacífico de Colombia y el interior de Venezuela. La desproporción en tamaño entre algunas zonas es excesiva; la zona 1 comprende casi todo México, las Antillas, la costa del Caribe de Venezuela y Colombia, y la mitad oriental de Panamá; la zona 16, por contraste se forma sólo de la pequeña región ultraserrana del Uruguay. Da la impresión que se mezclan divisiones primarias (sin perjuicio de su validez) con otras que son terciarias o cuaternarias, zonas con partes de subzonas.

En otros casos los rasgos seleccionados están mal analizados. Aunque uno de los rasgos seleccionados, el *žeísmo,* constituye una sola realización sonora, corresponde en unos casos a /l̯/, en otros a /y/, y aun en otros a la nivelación de ambos (v. cap. 3). Con razón dice María Beatriz Fontanella de Weinberg que «no creemos acertado subsunir en un mismo rubro (žeísmo) la realización fonética de fonemas distintos» (Fontanella de Weinberg, 1976: 53).

Ferguson y Gumperz (1973: 95), entre otros, señalan la conveniencia de usar isoglosas que separen grandes áreas, más bien que aquellas que sean relativamente locales. Rona selecciona isoglosas que distan mucho de tener dimensiones continentales; las isoglosas del *žeísmo* aparte de las críticas anteriores, y las de las diferentes morfologías verbales del voseo, son locales en extremo. Por otra parte, los fenómenos cuyas isoglosas se utilicen para clasificar una región mayor deben ser característicos de ella. Este criterio excluye al *yeísmo* como criterio clasificador del español americano en su totalidad (aunque podría servir para subclasificar zonas menores), puesto que es tan característico de la Península en general, como de América.

Resulta, pues, que uno sólo de los rasgos seleccionados por Rona es válido para una clasificación del español americano, el *voseo pronominal,* que tiene dimensiones continentales y es característicamente americano. Hay otros dos rasgos que también reúnen los requisitos de prestarse para el trazado de isoglosas que cubran grandes áreas, y que son fundamentalmente americanos, aunque se den en algunas regiones penisulares; esos rasgos son la realización de /x/, velar o glotal, y la realización de /s/ posnuclear, que puede ser alveolar o quedar reducida a glotal o a ∅ fonético. La realización de /n/ final velarizada, aun cuando no le siga velar, es rasgo que también reúne los requisitos dichos (aunque se da en Asturias y algunas otras regiones peninsulares), pero nada añade, resulta redundante, puesto que generalmente coincide con la glotalización o pérdida de /s/ posnuclear. Las isoglosas léxicas son demasiado locales y tienen además carácter asistemático. En esto coincidimos con Rona, quien señala que su uso es una de las deficiencias de la clasificación de Henríquez Ureña (Rona, 1964: 222). El léxico es útil, sin embargo, para la subclasificación dentro de zonas mayores.

Tomando los tres rasgos que consideramos más válidos y útiles para una clasificación primaria del español americano (los relacionados con /x/, /s/ y voseo), proponemos las nueve zonas dialectales que aparecen en el siguiente cuadro:

	ZONA	*/-s/*	*/x/*	*Voseo*	*Otras características*
I.	Antillas; costa oriental de México; mitad oriental de Panamá; costa norte de Colombia; Venezuela, excepto la cordillera.	—	—	—	Fenómenos relacionados con /-l/ y /-r/; velarización de /-n/; /r̄/ vibrante y velar contienen en Puerto Rico y partes de Panamá, las dos anteriores y la asibilada en República Dominicana; yeísmo. Pequeña región voseante alrededor del Lago de Maracaibo y el Golfo de Venezuela.
II.	México, excepto la costa oriental y las regiones limítrofes con Guatemala.	+	+	—	Conservación consonántica; debilitamiento vocálico en contacto con /s/; articulación ápicodental tensa de /s/; yeísmo; asibilación de /r̄/, esporádica. En el sur de la costa del Pacífico hay /x/ glotal y aspiración y pérdida de /-s/.
III.	Centro América; regiones limítrofes de México; mitad occidental de Panamá.	—	—	+	Yeísmo; velarización de /-n/. En occidente y centro de Guatemala y Costa Rica hay retención de /-s/ y asibilación de /r̄/. En Panamá, fenómenos relacionados en /-l/ y /-r/.
IV.	Colombia, excepto las costas; región de la cordillera de Venezuela.	+	—	±	En el centro de Colombia hay lleísmo, conservación consonántica y asibilación de /r̄/. Yeísmo en el resto, en Antioquia se realiza [ž].
V.	Costa del Pacífico de Colombia y de Ecuador.	—	—	±	Velarización de /-n/; fenómenos relacionados con /-l/ y /-r/; yeísmo.
VI.	Costa del Perú, excepto extremo sur.	—	—	—	Velarización de /n/; yeísmo.

Zona	/-s/	/x/	Voseo	Otras características
VII. Ecuador y Perú, excepto las regiones en las dos zonas anteriores; occidente y centro de Bolivia; noroeste de Argentina.	+	+	±	Retención consonántica; /s/ ápicodental; lleísmo, en partes del noroeste de Argentina la /ʎ/ se realiza [ž]; asibilación de /r̄/, excepto en la región central de Perú.
VIII. Chile.	—	+	±	Velarización de /-n/; asibilación de /r̄/; realización casi ápicoalveolar de /č/. Yeísmo y fenómenos relaciondos con /-l/ y /-r/ en la región central. Lleísmo al norte y al sur.
IX. Oriente de Bolivia; Paraguay; Uruguay; Argentina, excepto el noroeste.	—	+	+	Velarización de /-n/. Asibilación de /r̄/ y lleísmo en Bolivia, Paraguay y regiones limítrofes de Argentina. Yeísmo realizado [ž] en Uruguay y Argentina, salvo las regiones fronterizas dichas. Tuteo en la región ultraserrana y parte de la fronteriza con Brasil del Uruguay.

En el cuadro, en la columna correspondiente a la /-s/ el signo *más* (+) indica su retención, el de *menos* (—) su aspiración o pérdida. En la columna correspondiente a la /x/ *más* (+) indica la realización velar, *menos* (—) la glotal. En la columna del voseo *más* (+) indica su uso general, *menos* (—) indica uso general de *tú,* y ambos signos juntos (±) indican que en la zona contienden el voseo y el tuteo. No hemos considerado los pequeños islotes que pueden resultar dentro de cualquier zona, diferenciados de ella por algún rasgo (por ejemplo, las áreas tuteantes del Uruguay), porque considerarlos llevaría a un fraccionamiento excesivo. Esos islotes en los más de los casos aparecen mencionados en la última columna, donde también aparecen rasgos que, si bien no deben usarse para una clasificación de ámbito continental, sí deben considerarse para establecer subzonas. La contigüedad se considera un requisito para incluir diferentes regiones dentro de la misma zona, salvo que lo único que las separe sea el mar; de no ser así, la zona VI sería parte de la zona I.

Como podrá observarse, los tres rasgos elegidos son suficientes para la clasificación de las zonas dialectales hispanoamericanas; ninguna de las zonas coincide en rasgos con otra alguna, salvo el caso citado de las zonas I y VI. Los fenómenos que aparecen en la última columna, y los de índole léxica, resultarán de gran utilidad para la subclasificación dentro de cada una de las zonas dadas. Los rasgos de naturaleza sintáctica no se tuvieron en cuenta porque la información que sobre ellos existe es insuficiente, y harto irregular. Por último quisiéramos destacar que al ser esta clasificación la que menor número de rasgos requiere, es la que más se ajusta al requisito de simplicidad planteado originalmente, aunque para otras categorías, por Hjelmslev (1943), y replanteado más recientemente por Chomsky (1965).

CAPITULO VII
Visión histórica

7.0. Elementos formativos

En los capítulos anteriores hemos visto al español o castellano de América en su estado actual; aquí lo veremos en su génesis, al momento de nacer como modalidad que empieza a diferenciarse de la peninsular. Los elementos formativos y diferenciadores —étnicos, sociales, económicos, ambientales y geográficos— afectaron a la lengua en todos los niveles que ya discutimos: vocabulario, pronunciación y sintaxis. En este capítulo se repiten muchos temas ya estudiados; la perspectiva, sin embargo, es diferente, es diacrónica más bien que sincrónica. Si, por ejemplo, antes presentamos el hecho de que los marinerismos fueran uno de los componentes caracterizadores del léxico americano, aquí intentamos explicar el por qué de ese hecho, el cuánto y el cómo de la penetración de los marinerismos en los dialectos americanos.

7.1. Influencia andaluza

El que conoce Andalucía y sus maneras de hablar y oye a un hispanoamericano, particularmente a un antillano o a un vecino de poblaciones costeras de América, inmediatamente percibe semejanzas, que se hacen más notables por contraste con las hablas del centro y norte de España. Esta reacción puramente impresionística llevó a que desde siempre se afirmara un origen andaluz para las características más salientes del español americano.

Hacia finales del primer cuarto de este siglo se comenzó a poner en tela de juicio la afirmación anterior. Particularmente Pedro Henríquez Ureña (1921 y 1932), pero también Amado Alonso (1939 y 1961) cuestionan el andalucismo del español americano afirmando que los rasgos similares (seseo, yeísmo, nivelación de *r* y *l*, y glotalización de *s* final y de *j*)[1] se desarrollan independientemente en ambos lados del Atlántico. La oposición a la tesis andalucista se fundamenta en la suposición de que los rasgos citados se desarrollan en Andalucía con posterioridad a los primeros años de la conquista y colonización de América, por lo que no pudieron influir en la formación del español americano; así como en la creencia de que en dichos años los andaluces no tenían una proporción significativa entre los conquistadores y colonizadores. Amado Alonso afirma categóricamente que «la base del español americano no es el andaluz del siglo XVI» (Alonso, 1961, 14).

Estudios posteriores han demostrado el error de ambos supuestos. En «El andaluz y el español de América» Rafael Lapesa (1964) resume muy bien estos estudios que demuestran la presencia de los dichos rasgos en Andalucía, con anterioridad al Descubrimiento, y concluye que «no cabe ya duda posible respecto al origen andaluz de algunos de los rasgos más peculiares de la pronunciación americana» (182).

En cuanto a la cuestión demográfica, desde luego que los conquistadores y colonizadores procedían de todas las regiones de España, salvo el reino de Aragón por la prohibición que nace de la negativa de Fernando el Católico a apoyar la empresa del Descubrimiento. Pero, según prueban los estudios de Peter Boyd-Bowman (1956), el núcleo mayor procedía de Andalucía; el 40 por 100 del total de los viajeros a América en estos años formativos es andaluz, la mitad de Sevilla[2].

La tónica meridional de los dialectos hispanoamericanos se refuerza por otras tres circunstancias. Según datos del citado

1. Los tres últimos de estos rasgos están muy difundidos, pero no caracterizan a todas las hablas americanas.

2. Boyd-Bowman da cifras muy precisas, aquí se han redondeado: téngase en cuenta en otras citas.

estudio de Boyd-Bowman el 67 por 100 de las mujeres que de España se trasladaron a América durante el primer cuarto de siglo procedía de Andalucía. Sabido es que la mujer, particularmente en la época, ejerce una enorme influencia en el niño en los años en que está formándosele la lengua. De otra parte los viajeros a América tenían que salir de puertos andaluces, donde con frecuencia tenía que esperar varios meses antes de lograr embarcar. Durante esta estancia comenzaba a dejarse sentir la influencia del habla meridional sobre los que procedían de otras partes de la Península. Por último está documentado el hecho de que eran andaluces, en su mayoría de Sevilla o Huelva, siete de cada diez de los marineros que tripulaban las naves en las que se hacía la travesía a América. Durante más de cuarenta días los pasajeros vivían en estrechísimo contacto con la marinería, y la influencia del habla de ésta (que a continuación se discute) contribuyó a reforzar el carácter andaluzado de la pronunciación americana.

7.2. Influencia de las jergas marineras

Ya se ha aludido a la dilatada travesía al Nuevo Mundo, durante la cual el constante y apretado contacto con los marineros afectaba la pronunciación de los pasajeros. Pero no fue sólo la pronunciación la que quedó afectada; la experiencia marítima influirá también de manera muy peculiar sobre el léxico americano. El madrileño Eugenio de Salazar, que fue funcionario judicial en La Española, Guatemala y Nueva España durante la segunda mitad del siglo XVI, dice «que haya yo aprovechado tanto en esta lengua (la de los marineros) en cuarenta días (duración del viaje)... que ya no es en mi mano dejar de hablar esta lengua» (citado de Alonso, 1961: 54-55)[3].

Los marineros, como tantos otros grupos profesionales u ocupacionales, desarrollan un caudaloso vocabulario propio. La lengua de los pasajeros a América se afectó extraordinariamente, como señala Salazar, y muchos *marinerismos* se incorporaron al español de América *para ser usados corrientemente fuera del contexto marítimo*. Así por ejemplo *amarrar* y *botar,* de origen marinero, son las formas generalizadas en América, que equivalen

3. Lo que aparece entre paréntesis dentro de la cita se añade por aclarar; no es parte del texto citado.

respectivamente a *atar* y *arrojar* en los dialectos peninsulares. Como nota Amado Alonso, «los expedicionarios se impregnaban de marinerismo ya en los barcos, y... de los barcos saltaban esas voces directamente a las tierras del interior» (Alonso, 1961: 52). El resultado ha sido una larga lista de voces que caracterizan al léxico americano, diferenciándolo del de la Península.

7.3. Nivelación dialectal

Desde 1493, cuando Colón con cerca de 1.500 hombres inicia la colonización de La Española [4], hasta 1519, fecha en que comienza la conquista de México, los españoles permanecen principalmente en las Antillas. Fuera de las islas sólo se harán establecimientos de menor importancia en Tierra Firme (costa norte de Colombia) y Darién (Panamá). En éste, el llamado *período antillano,* comienza la historia de la lengua española o castellana en América.

Como se dijo anteriormente, es indudable en esos años formativos la influencia andaluza sobre los dialectos que estaban desarrollándose. Pero si los andaluces formaban el núcleo más importante entre los conquistadores y colonizadores, no eran los únicos. Según la repetidamente citada investigación de Boyd-Bowman, de Castilla la Vieja procedía el 18 por 100 de los conquistadores, de Extremadura el 14 por 100, de Castilla la Nueva el 9 por 100, de León el 7 por 100, y el 12 por 100 del resto de los reinos y regiones, con casi total exclusión de Aragón. Debe destacarse que Toledo tuvo una influencia mayor de lo que podría esperarse de las cifras anteriores. Esto se debió al gran prestigio que gozó el dialecto toledano hasta mediados del siglo XVI, así como a que la mayoría de los escribanos y funcionarios públicos procedía de esa ciudad. La 'norma culta' hasta la mitad del siglo fue la toledana.

La mezcla de grupos con dialectos distintos obligó a elegir entre las diferentes posibilidades, y a la eliminación de diferencias. De este proceso de nivelación entre dialectos dispares (de Castilla la Vieja, Castilla la Nueva y del Sur) resultó la llamada

4. El fuerte de La Natividad, establecido por el Almirante el año anterior, fue destruido por los indios, pereciendo a manos de ellos toda la guarnición, por lo que el año de 1493 debe considerarse como el del verdadero inicio de la colonización.

coiné antillana. Los rasgos característicos de la lengua en Andalucía dominaron el proceso, pero en él estuvieron presentes peculiaridades de todos y cada uno de los otros dialectos peninsulares, en mayor o menor grado. La coiné resultante fue un nuevo dialecto, con características propias, aunque de origen vario.

Los hombres que, durante el cuarto del siglo del período antillano, contribuyeron a la formación de la dicha coiné fueron los que luego dominarían las fuerzas que conquistaron México y la América central y meridional, salvo el Río de la Plata. Así, en la coiné antillana está la semilla de los otros dialectos americanos. Luego a las nuevas tierras conquistadas fueron llegando colonizadores más o menos directamente de la Península. En todas partes se repitió que los colonizadores procedieran de diferentes zonas dialectales peninsulares, y aunque las proporciones variaron según el lugar, el núcleo predominante en casi todos los casos, durante el período inicial, fue andaluz. Como consecuencia hay que afirmar que todos y cada uno de los primeros dialectos americanos nacieron de procesos de nivelación; fueron todos en su origen una coiné de los dialectos peninsulares y, en muchos casos, del nuevo dialecto americano, la coiné antillana.

7.4. Impacto del Nuevo Mundo

Cuando los españoles descubrieron América, ésta fue para ellos, literalmente, un mundo nuevo. Durante los años del descubrimiento y la conquista, y los primeros de colonización, constantemente se veían frente a plantas, animales, alimentos, instrumentos y artefactos, vestuario, costumbres, jerarquías e inclusive conceptos totalmente desconocidos, y en muchos casos sin referente en la anterior experiencia europea. Como Adán en *Génesis,* los conquistadores y colonizadores tuvieron que enfrentarse a la tarea de dar nombres a las cosas. El proceso denominador «comenzó en los días mismos del descubrimiento, por la necesidad que sintieron Colón y sus compañeros de encontrar voces nuevas» (Morínigo, 1959: 56).

Los españoles tenían una ventaja sobre Adán; venían de otro mundo donde las cosas tenían nombres. Era cuestión de expandir un caudal léxico, más bien que de crear un vocabulario a partir de cero. Las palabras que ya poseían, forzadas y alteradas semánticamente, serían las primeras que usarían para nombrar las cosas del mundo que estaban descubriendo.

No fueron sólo palabras de su propia lengua; el error de Colón de creer haber llegado al Asia llevó en los primerísimos años al uso de palabras de la única lengua conocida que se relacionaba con lo asiático, el árabe. Aunque muchas de estas voces árabes dejaron de usarse tan pronto se comprendió que América no era Asia, algunas quedaron, *tabaco* y *gandul,* por ejemplo.

Al usar nombres ya poseídos se utilizaron varios procedimientos: derivación *(gallinazo,* para un ave de rapiña de considerables tamaño), composición *(gallina de la tierra,* para lo que hoy generalmente se llama *pavo)* y analogía *(lagarto* por *caimán).* La analogía, que en fin de cuentas es también la base para los procesos mencionados, puede fundamentarse en varias características: forma, color, costumbres, etc. Este procedimiento puede resultar, desde luego, en que se utilice el mismo nombre para diferentes cosas, o que se den diferentes nombres a la misma cosa. Esta variedad de posibilidades será un factor contribuyente a la dialectalización en América, como acertadamente señala Morínigo (1959: 56 y sigs.). Ejemplo de esto es que a la misma ave se le llame *tiñosa* en Cuba, *cuervo* en Paraguay, *gallinazo* en Colombia y el Perú, y *buitre* en Bolivia; la situación a la inversa produce que se le llame *cuervo* a un gran número de aves diferentes, sólo por el hecho de ser todas negras (Morínigo, 1959: 60-61).

7.5. Las lenguas amerindias

El Nuevo Mundo era nuevo para los españoles, pero no lo era para la población indígena que llevaba miles de años viviendo en América en el momento del descubrimiento. En los territorios que luego serían de habla española (y portuguesa) había en 1492 algo más de doce millones de habitantes (Rosenblat, 1945 y 1954). Según datos de Antonio Tovar (1961: 10) para la población amerindia mencionada se puede identificar más de cien familias lingüísticas, compuestas de aproximadamente dos mil lenguas y dialectos.

Los habitantes precolombinos de América tenían en sus lenguas nombres para todo lo que los rodeaba. Los españoles, en muchos casos, encontraron más fácil tomar de este caudal que le brindaban las lenguas indígenas que tratar de usar voces de la lengua propia, siguiendo los procedimientos descritos en el epígrafe anterior. Dichos procedimientos no eran suficientemente productivos y se prestaban a confusión, así que en realidad «la apertura a lo desconocido impuso la necesidad de tomar los nombres que se brindaban propicios en las lenguas indígenas» (Zamora, 1976: 91). Desde muy temprano comenzaron a tomarse los préstamos; ya en 1493 el gran lexicógrafo y gramático Antonio de Nebrija incluye en su *Vocabulario* la voz amerindia *canoa*. Tan rápidamente se incorporan al español, que ya desde 1500 el francés, entre otras lenguas europeas, toma como hispanismos, como préstamos del español, lo que en español son indigenismos; así *canot* (<*canoa*), *iguane* (<*iguana*) y *ouragan* (<*huracán*), entre unos trece ya incorporados en el francés para 1550 (Arboleda, 1978: 1-2).

Las primeras lenguas con las que los nuevos pobladores entraron en contacto fueron el *taíno,* de la familia arahuaca, en La Española, Puerto Rico y gran parte de Cuba, y el *caribe insular,* en las Antillas Menores. Durante el período antillano ya citado son éstas casi las únicas lenguas de contacto, aunque se conocen otras también de las familias arahuaca y caribe en Tierra Firme, y el *cuna* en Darién.

El taíno contribuyó con gran número de préstamos léxicos al ñol. *Ají, barbacoa, batata, batey, bohío, cacique, canoa, caoba, carey, cazabe, enagua, hamaca, huracán, iguana, jicotea, maíz, maní, papaya, sabana, tuna* y *yuca* son algunos de los tainismos de uso común en uno u otro lado del Atlántico. Muchos, como ya se dijo, pasarían luego a otras lenguas: catalán, *enagos* (<*ena-* español. *Ají, barbacoa, batata, batey, bohío, cacique, canoa, caoba, gua* y *huraca;* francés, *hamac* y *maïs;* inglés, *barbeque* y *hammock;* italiano, *cassava* y *uragano* (< huracán); portugués, *furação* (<huracán) y *maca* (<hamaca).

Del caribe insular son *bucán* (de donde se deriva *bucanero*), *caimán, manatí* y *piragua.* El caribe continental contribuye con *arepa, butaca, loro* y *múcara.*

En 1519, al iniciarse la conquista de México, los españoles entran en contacto con una gran civilización, la azteca, y con su lengua, el *náhuatl.* De esta lengua, también muy productiva en préstamos, son *aguacate, cacahuate (cacahuete* fuera de México), *cacao, coyote, chicle, chile, chocolate, jícara, milpa, papalote, petaca, tamal* y *tomate.* Sobrado está decir que muchas de estas voces también han pasado a un gran número de otras lenguas: catalán, *tomaca;* francés, *cacahouete;* inglés, *avocado;* italiano, *cioccolato;* portugués, *cacau.*

Del *quechua* (la denominación *inca* es incorrecta, aunque está más difundida), el español tomó préstamos tales como *alpaca, carpa, coca* (y su derivado *cocaína), cóndor, ñapa, pampa, papa* (que se cruza con el taíno *batata* y da *patata), poroto, puma* y *vicuña.* La tercera de las grandes culturas precolombinas, la *maya,* aporta una sola palabra que se haya difundido más allá de sus fronteras, *cigarro.*

De las otras lenguas amerindias sólo las de la familia *tupí-guaraní* aportan más de un par de palabras al español general americano o peninsular; algunas llegan por vía del portugués. Son de origen tupí-guaraní *jaguar, mandioca, maraca, tapioca* y *tiburón.*

Los españoles tuvieron mayor o menor contacto con cientos de lenguas indígenas, y algunas de las que no se han mencionado tenían gran número de hablantes, o servían a culturas relativamente avanzadas: el *chibcha* de Colombia, el *aymara* de Bolivia, el *mapuche* o *araucano de Chile,* entre las más notables. Sin embargo, sólo las ya citadas contribuyen al español general, peninsular o americano. Esta realidad exige una explicación.

Las dos lenguas que más préstamos ofrecieron al español o castellano fueron el taíno de las Antillas y el náhuatl de México. La primacía del taíno, a pesar del escaso número de sus hablantes y de su pobreza cultural, se justifica por haber sido la lengua del primer contacto, y porque durante los primeros veinte y siete años de experiencia americana el español prácticamente no tuvo otra fuente de la que tomar préstamos. Es decir, que cuando mayor era la necesidad de nombres, en el momento inicial de apertura a un nuevo mundo, sólo el taíno pudo brindar significantes a los nuevos significados, para usar términos saussurianos.

Cuando se produjo el contacto con el náhuatl, ya un gran número de los signos requeridos por la nueva realidad se habían completado; la larga experiencia antillana había establecido la relación entre significados americanos y significantes taínos. Pero la conquista de México fue lo suficientemente temprana como para que todavía quedaran signos por formar. Por otra parte la geografía, el clima, la flora y la fauna de México eran en gran parte diferentes; además, la cultura más avanzada de los aztecas poseía un mayor número de artefactos, construcciones, costumbres, jerarquías y conceptos, y todo con mayor complejidad que la más simple cultura taína. La novedad era menor, pero México aún era un mundo nuevo necesitado de nombres. Como consecuencia, en el español general los nahuatlismos compiten en número con los tainismos.

El quechua, a pesar del gran desarrollo de su cultura, llegó algo tarde al contacto con el español, pero todavía pudo hacer una pequeña contribución. Cuando se terminó la conquista del imperio incaico, la novedad de América ya había pasado; las culturas con las que después tuvo contacto mayor o menor el español ya no tenían vacíos léxicos que llenar. La única excepción fue la familia tupí-guaraní, porque los españoles que la conocieron, generalmente llegaron a ella directamente desde la Península, sin experiencia antillana, mexicana o peruana, pero sobre todo porque, siendo en gran parte una cultura de selva tropical, representaba una experiencia y un mundo aún diferente.

7.6. La adaptación de los indigenismos

Todo préstamo tiene que adaptarse a las características fonológicas y morfológicas de la lengua que lo toma, aunque en un primer momento puede forzar al habla que lo recibe. La adaptación llegó a cambiar por fuertes muchas vocales finales débiles átonas: *cazabi* > *cazabe*. El grupo consonántico *tl* del náhuatl (ajeno fonológicamente al castellano) se resolvió mediante la pérdida de *l* —*naguatlato* > *naguatato*— y luego, en posición final con adición de *e*, *aguacatl* > *aguacate*.

Los plurales adoptaron las formas españolas, *-s* o *-es*. El género, existiera o no como categoría gramatical en la lengua, y tuviera en ella la forma que tuviera, tenía también que ajustarse a la norma del español; el factor determinante lo fue el sonido del segmento final, donde el sexo biológico no imponía la solución (Zamora, 1975 y 1976: 116 y sigs.).

7.7. Conflictos entre lenguas

Los indigenismos se incorporaron al español desde el primer momento; se usaron como parte de la lengua propia por los españoles desde los días iniciales de la colonización, aun en documentos oficiales y de la iglesia (Zamora, 1976: 107-108). Desde la misma época no sólo llenan vacíos léxicos, sino que también desplazan a voces españolas, aun cuando éstas se referían a realidades vitales que eran en América idénticas a las de España;

así, por ejemplo, el tainismo *conuco* desplazó al español *huerta* o *roza,* a pesar de que semánticamente eran conceptos idénticos (Zamora, 1976: 108-109). No eran pocos, por cierto, los casos; más del 20 por 100 de los antillanismos del corpus de Zamora (1976) son préstamos sustitutivos más bien que aditivos. Es decir, que más de uno de cada cinco antillanismos sustituyó a una voz española que debe presumirse bien conocida de los conquistadores.

Obviamente, si los indigenismos sustituían a palabras españolas perfectamente aptas, no es de extrañar que el mismo fenómeno ocurriera entre voces de diferentes lenguas indígenas. En México los nahuatlismos *chile* y *milpa* lucharon hasta desplazar a *ají* y *maizal,* que siendo ambos de origen taíno habían penetrado en el español antes, durante el período antillano.

La sustitución de un préstamo por otro no se produjo sin que mediara un largo período de convivencia entre los españoles y los indígenas que tenían en su lengua la forma desplazante. Durante todo el siglo XVI los citados *ají* y *maizal* alternaron en México con los también citados *chile* y *milpa,* aunque, según pasaban los años, la frecuencia de los primeros disminuía, y la de los segundos aumentaba. Sin embargo, debe señalarse que casos como éste no abundaron; fueron la excepción más bien que la regla. La mayoría de los indigenismos entraron en el español para llenar un área vacía del léxico; una vez que una voz llenaba un vacío, era difícil que se la desplazara. «Los indigenismos ...siguen por los caminos de la conquista, saliendo de su zona de origen y pasando a las que sucesivamente van siendo incorporadas al Imperio» (Zamora, 1976: 124).

7.8. Sustrato y adstrato

Sustrato, para Fernando Lázaro, es «la lengua que, a consecuencia de una invasión de cualquier tipo, queda... sustituida por otra; no desaparece sin dejar... algunos rasgos: palabras..., hábitos fonéticos, de entonación, gramaticales, etc.» (Lázaro Carreter, 1968). Siguiendo esta definición, podría considerarse a las lenguas amerindias como sustrato de las variantes del español americano, y así efectivamente se ha hecho.

Conviene sin embargo dejar bien claro que aunque muchos autores hablan en general del sustrato indígena del español de América, esta generalización no es válida. El taíno es sustrato del español de las Antillas, pero no lo es del de México, o Chile, puesto que en ninguno de dichos países existió población alguna hablante de taíno. Los tainismos del español de Chile llegaron ya como tales, es decir, incorporados al español. Al hablar de sustrato indígena hay que precisar que el término sólo es aplicable a variantes regionales del español, en cuanto a las lenguas amerindias de esas mismas regiones.

Carece igualmente de validez el hablar, como lo hacen muchos, de la «acción», «influencia» o «efecto» del sustrato. Puede el sustrato haber *dejado rasgos,* pero por su misma naturaleza de lengua sustituida, desaparecida, no puede como tal influir, actuar o tener efectos. En puridad los rasgos residuales que proceden del sustrato, son producto de una previa influencia o acción del *adstrato,* es decir, de una lengua que aún sobrevive y que coexiste en el mismo territorio que otra. En este sentido es necesario decir que no caben siquiera las referencias al sustrato indígena en aquellas regiones donde las lenguas amerindias sobreviven, donde son aún hoy adstrato.

La influencia del adstrato será mayor si éste no conforma simplemente un hecho de coexistencia lingüística, sino que se aplica a una situación de bilingüismo. El grado y alcance del bilingüismo también influyen en la cantidad de influencia; ésta será mayor si el bilingüismo está generalizado en la población, y menor si, como sucede en la mayoría de los casos, sólo es bilingüe toda o parte de la población indígena. Ejemplos de áreas de bilingüismo más o menos generalizado son Yucatán y Paraguay. En este último país la generalización es tal que además de bilingüismo existe *diglosia,* tal y como la define Ferguson (1959) [5], es decir, que cada una de las dos lenguas (guaraní y español) tiene un campo y unas funciones específicos y exclusivos [6].

En cuanto a léxico, ya se han visto los elementos que pueden atribuirse al sustrato, o a los efectos del adstrato. En otros niveles del lenguaje (fonológico, morfológico o sintáctico) se suele hacer referencia inicial siempre a lo dicho por Rodolfo Lenz (a fines del siglo XIX) en cuanto a que el español hablado en Chile «es principalmente español con sonidos araucanos» (en Alon-

5. Salvo que Ferguson en el artículo citado tiene un concepto restringido, que se amplía más adelante; véase Fishman (1972: 91 y sigs.).

6. Joan Rubin (1968) ha realizado investigaciones que deben consultarse para conocer la interesante situación sociolingüística del Paraguay.

so, 1961: 268). La llamada tesis indigenista de Lenz ha sido magistralmente rebatida por Amado Alonso, quien concluye que «las afirmaciones de Lenz no tienen fundamento científico» (Alonso, 1961: 321), porque las bases demográficas de Lenz (enorme mestizaje) son falsas y, sobre todo, porque los rasgos fonéticos que Lenz atribuye al araucano (mapuche) pueden explicarse perfectamente dentro del español.

La influencia mayor es en el léxico. En otros niveles, está limitada a algunas regiones de población indígena grande, y sin alcanzar nunca el grado que pretendía Lenz. Lope Blanch afirma certeramente que existe «influencia indígena en la entonación, y no falta tampoco —aunque en mucha menor escala— en el sistema fonético... en la morfología y la sintaxis del español de algunas regiones americanas» (Lope Blanch, 1968: 29). El mismo autor en la misma obra señala sin embargo que «el estudio de la influencia de las lenguas indígenas sobre el castellano de América está apenas iniciado» (37). Algunos de los pocos aspectos que se han estudiado lo suficiente como para poder afirmar que se deben a influencia indígena son el cierre de las vocales medias (e > i, o > u) entre los hablantes indígenas de español en Perú (debido a tener el quechua sólo tres vocales, *a, i, u),* y la articulación con oclusión global final de las consonantes «heridas» (k', p', t', s') del español de Yucatán, por influencia maya. También parecen mayas ciertas estructuras sintácticas de Yucatán, por ejemplo del tipo «Este vestido me lo regalaron por mi hermana», que en la lengua general equivaldría a «Este vestido me lo regaló mi hermana» (Lope Blanch, 1968: 36). Sobrado está decir que donde indudablemente existe gran interferencia a todos los nieveles es en Paraguay, en ambas lenguas, español y guaraní [7].

7.9. Las lenguas africanas

Al intentar una visión general de Hispanoamérica siempre se mencionan tres núcleos étnicos, el español, el indio y el negro. Como toda generalización, tiene muchas limitaciones. El indio desaparece en las Antillas, y casi sufre la misma suerte en Costa Rica, Argentina y Uruguay. El negro es un factor importante sólo en las Antillas, las costas del Golfo de México y el Mar Caribe, y la costa del Pacífico de Colombia y Ecuador. La influencia africana está, pues, limitada geográficamente. En las regiones ya señaladas donde sí existe población de origen africana subsahárica, su influencia en el lenguaje es también muy reducida. Esto se debe a las condiciones en que se desarrolló la vergonzosa trata de esclavos, y a las circunstancias también deplorables a las que estaban sujetos los esclavos en América. Tanto en los barcos negreros como luego en América se mezclaban esclavos de diversas procedencias y diferentes lenguas. El esclavo tiene que abandonar su lengua africana y adoptar el español para poder comunicarse, no ya con amos y capataces, sino también con sus compañeros de infortunio.

Por otra parte, la América era tan nueva para él como para los españoles. No podía, como el indio, aportar nombres para las cosas. Y las cosas suyas habían quedado en Africa, puesto que se le traía totalmente desposeído. Esto explica que en el léxico los *afronegrismos (banana* y *bemba,* por ejemplo) sean mucho menores en número que los indoamericanismos.

Las creencias religiosas fueron de los pocos elementos culturales africanos que sobrevivieron el trasplante a América. Por eso dice Fernando Ortiz que «los lenguajes africanos fueron, pues, esfumándose, sobreviviendo únicamente, aunque con escaso vigor, como lengua o jerga religiosa» (1922: 358).

Nunca se ha reclamado influencia africana en la morfología o sintaxis del español americano; sí se ha alegado influencia sobre el fonetismo. Sin embargo, se pueden documentar en la Península todos los hechos que se atribuyen a influencia africana por varios autores: nivelación de *r* y *l; r i; l i;* pérdida de *s* final; pérdida de *d* intervocálica; yeísmo; etc. En consecuencia «desde el punto de vista fonético no puede aceptarse influencia africana» (López Morales, 1971: 68). Dicha influencia, según se dijo, afecta sólo al léxico, y muy limitadamente.

7.10. Otras lenguas

Influyen sobre el español de América otras lenguas europeas (inglés, francés, italiano, portugués, catalán) y asiásticas (chino). Sus efectos no son iguales para las diferentes regiones, ni todas dichas lenguas influyen en cada una de las regiones. En todo caso, ninguna afecta al español en su momento formativo en América, fines del siglo XV y siglo XVI, por lo que este tema se discute en otro capítulo.

influencia en el lenguaje es también muy reducida. Esto se debe a las condiciones en que se desarrolló la vergonzosa trata de esclavos, y a las circunstancias también desfavorables a las que estaban sujetos los esclavos en América. Tanto en los barcos negreros como luego en América se mezclaban esclavos de diversas procedencias y diferentes lenguas. El esclavo tenía que abandonar su lengua africana y adoptar el español para poder comunicarse, no ya con los amos y capataces, sino también con sus compañeros de infortunio.

Por otra parte, la América era tierra nueva para el esclavo, como para los españoles. [illegible] podía, como [illegible] todo aquello, nombres, para las cosas. Y las cosas suyas habían quedado en África, por eso se le cayó totalmente desprestigiado. Esto explica que en el léxico los afronegrismos (*banana*, *bemba* y *ñame*, por ejemplo) sean mucho menores en número que los indoamericanismos.

Las creencias religiosas fueron de los pocos elementos culturales africanos que sobrevivieron el trasplante a América. Por eso dice Fernando Ortiz que los lenguajes africanos [illegible], pues, estuvieron [illegible] conservándose únicamente [illegible] aquellos [illegible] gos, como lengua o jerga religiosa ([illegible] 22: 378).

Nunca se ha reclamado influencia africana en la morfología o sintaxis del español americano; sí se ha alegado influencia sobre el fonetismo. Sin embargo, se pueden documentar en la Península todos los hechos que se atribuyen a influencia africana por varios autores: nivelación de *r* y *l*, *s* > *h*, pérdida de *-r* final, pérdida de *-d-* intervocálica, yeísmo, etc. En consecuencia, desde el punto de vista fonético no puede aceptarse la influencia africana (López Morales [illegible]). La influencia [illegible] se [illegible] sólo en léxico, y muy limitadamente.

[illegible] OTRAS INFLUENCIAS

Influyeron sobre el español de América otras lenguas europeas (inglés, francés, italiano, portugués, catalán) y asiáticas (chino). Sus efectos no son iguales para las distintas regiones, ni todo [illegible] en [illegible] las regiones [illegible] [illegible] el [illegible] fines del siglo XIX [illegible] siglo XVI [illegible] tema se discute en este capítulo.

BIBLIOGRAFIA

(Para más información bibliográfica ver *CTL4,* Solé 1970 y 1972, Fontanella de Weinberg 1976.)

ABREVIATURAS USADAS

AdeL	Anuario de Letras (México).
ALC	Antología de Lingüística cubana, 2 vols, eds. Gladys Alonso y Angel Luis Fernández, La Habana: Editorial de Ciencias Sociales, 1977.
BAPLE	Boletín de la Academia Puertorriqueña de la Lengua Española.
BF	Boletín de Filología, Universidad de Chile.
BICC	Thesaurus: Boletín del Instituto Caro y Cuervo (Bogotá).
CADCH	Corrientes actuales en la dialectología del Caribe hispánico, ed. Humberto López Morales, Río Piedras (Puerto Rico): Editorial Universitaria, 1978.
CTL4	Current Trends in Linguistics, IV: Ibero-American and Caribbean Linguistics, ed. Thomas A. Sebeok, La Haya: Mouton, 1968.
EFLC	La estructura fónica de la lengua castellana, eds. Jorge M. Guitar y Joaquí Roy, Barcelona: Anagrama, 1980.
Lg	Language (Baltimore, Maryland, USA).
ML	The Melody of Language, eds. Linda R. Waugh y C. H. van Schooneveld, Baltimore: University Park, 1980.
NRFH	Nueva Revista de Filología Hispánica (México).
PFLE	Presente y futuro de la lengua española. Actas de la Asamblea de Filología del I Congreso de Instituciones Hispánicas, 2 volúmenes, Madrid: Oficina Internacional de Información y Observación del Español, 1964.
RFE	Revista de Filología Española (Madrid).

Alarcos Llorach, Emilio (1964): «Algunas cuestiones fonológicas del español de hoy». *PFLE* II: 151-161.
— (1965): *Fonología española.* Madrid, Gredos.
Alba, Orlando (1979): «Análisis fonológico de las líquidas implosivas en un dialecto rural de la República Dominicana». *BAPLE* 7, 2: 1-18.
Alonso, Amdo (1939): «La pronunciación americana de la *z* y de la *ç* en el siglo XVI». *Universidad de La Habana* 4, 23: 62-83.
— (1961):*Estudios lingüísticos: temas hispanoamericanos.* Madrid, Gredos.
Alvar, Manuel (1969): «Notas sobre el español de Yucatán». *Ibero-Romania* 1: 159-189.
Arboleda, Joseph R. (1978): «Derivations of French Hispanisms». *Word* 29, 1: 1-6.
Armas y Céspedes, Juan Ignacio de (1882): *Orígenes del lenguaje criollo.* La Habana, Imprenta de la Viuda de Soler; citamos de *ALC* I: 115-186.
Bataille, Georges (1969): *Death and Sensuality: A Study of Eroticism and the Taboo.* New York, Ballantine.
Bolinger, Dwight L. (1961): «Three Analogies». *Hispania* 64: 134-137.
Bowen, J. D., R. P. Stockwell y J. W. Martin (1965): *The Sounds of English and Spanish.* Chicago, University of Chicago.
Boyd-Bowman, Peter (1956): «Regional Origins of the Earliest Spanish Colonists of America». *PMLA* 71: 1152-1172.
— (1963): «La emigración peninsular a América: 1520-1539». *Historia Mexicana* 13: 165-192.
— (1968): «Regional Origins of the Spanish Colonists of America: 1540-1559». *Buffalo Studies* 4: 3-26.
Canfield, D. Lincoln (1962): *La pronunciación del español en América.* Bogotá, Publicaciones del Instituto Cary Cuervo 17.
Cárdenas, Daniel N. (1970): *Dominant Spanish Dialects Spoken in the United States.* Washington, D. C., Educational Resources Information Center (ERIC), Report ED 042137.
Catalán, Diego (1958): «Génesis del español atlántico. Ondas varias a través del océano». *Revista de Historia Canaria* 24: 1-10.
Cedergren, Henrietta (1973): *The Interplay of Social and Linguistic Factors in Panama.* Tesis doctoral de la Universidad de Cornell.
— (1978): «En torno a la variación de la S final en Panamá: análisis cuantitativo». *CADCH,* 37-50.
— (1979): «La elisión de la /d/: un ensayo de comparación dialectal». *BAPLE* 7, 2: 19-29.
Comisión de Lingüística Iberoamericana (1973): *Cuestionario para el estudio coordinado de la norma lingüística culta, I Fonética y Fonología.* Madrid, Consejo Superior de Investigaciones Científicas.
Contreras, Heles (1963): «Sobre el acento en español». *BF* 15: 223-237.
— (1964): «¿Tiene el español un acento de intensidad?» *BF* 16: 237-239
— (1977): «Spanish epenthesis and stress». *Working papers in Linguistics* (Universidad de Washington, Seattle) 3: 9-33.
— (1980): «Sentential Stress, Word Order, and the Notion of Subject in Spanish». *ML,* 45-53.
Chela Flores, Godsuno (1980): «Las teorías fonológicas y los dialectos del Caribe hispánico». Ponencia al V Simposio de Dialectología del Caribe Hispánico, Caracas.

Chomsky, Noam (1965): *Aspects of the Theory of Syntax.* Cambridge (Massachusetts):, Massachusetts Institute of Technology.
— (1970): *Aspectos de la teoría de la sintaxis,* tr. C. P. Otero, Madrid, Aguilar.
— y Morris Halle (1968): *The Sound Pattern of English.* New York: Harper § Row
Dalbor, John B (1980): *Spanish Pronunciation. Theory and Practice.* New York, Holt, Rinehart § Winston.
D'Introno, Francesco y Juan Manuel Sosa (1979): «Análisis sociolingüístico del español de Caracas: un fenómeno suprasegmental». Ponencia al IV Simposio de Dialectología del Caribe Hispánico, Universidad Interamericana, San Germán, Puerto Rico.
Escobar, Alberto (1978): *Variaciones sociolingüísticas del castellano en el Perú.* Lima, Instituto de Estudios Peruanos.
Ferguson, C. A. (1959): Diglossia». *Word* 15: 325-340.
— y J. D. Gumperz (1973): «Variety, Dialect and Language». *The Edinburg Course in Applied Linguistics, V. I. Readings for Applied Linguistics,* eds. J. P. B. Allen y S. Pit Corder. Londres, Oxford University, 91-99.
Fishman, Joshua R. (1972): *The Sociology of Language.* Rowley (Massachusetts), Newbury House.
Flórez, Luis (1951): *La pronunciación del español en Bogotá.* Bogotá, Publicaciones del Instituto Caro y Cuervo 8.
— (1964): «El español hablado en Colombia y sus atlas lingüístico». *PFLE* I: 5-77.
— (1965): *El español hablado en Santander. Bogotá,* Publicaciones del Instituto Caro y Cuervo 21.
— J. J. Montes Giraldo y Jennie Figueroa Lorza (1969): *El español hablado en el Departamento del Norte de Santander.* Bogotá, Publicaciones del Instituto Caro y Cuervo 28.
Fontanella de Weinberg, María Beatriz (1966): *Comparación de dos en-* tonaciones regionales argentinas». *BICC* 21: 17-29.
— (1971): «La entonación del español de Córdoba (Argentina)». *BICC* 26: 111-121.
— (1976): *La lengua española fuera de España.* Buenos Aires, Paidós.
— (1980): «Three Intonational Systems of Argentinian Spanish». *ML,* 115-126.
Gili Gaya, Samuel (1961): *Curso superior de sintaxis española.* Barcelona, Spes.
Goldsmith, John (1981): «Subsegmentals in Spanish Phonology: An Autosegmental Approach». *Linguistic Symposium on Romance Languages 9,* eds. W. W. Cressey y D. J. Napoli. Washington, D. C., Georgetown University.
Golibart, Pablo (1976): *Cibaeño Vocalization.* Tesina de Maestría de la Universidad de Kansas.
Granda, Germán de (1968): «Formas en *re* en el español atlántico y problemas conexos». *BICC* 23: 1-22.
Grimes. Larry M. (1978): *El tabú lingüístico en México: el lenguaje erótico de los mexicanos.* New York, Bilingual Press.

Guitart, Jorge M. (1976): *Markedness and a Cuban Dialect of Spanish.* Washington, D. C.: Georgetown University.

— (1978): «Aspectos del consonantismo habanero: reexamen descriptivo». *BAPLE* 7, 2: 95-114.

— (1980a): «Breve esquema conceptual de la fonología generativa». *EFLC,* 59-112.

— (1980b): «On the Contribution of Spanish Language Variation Studies to Contemporary Linguistic Theory». Ponencia al simposio Spanish in the United States Setting: Beyond the Southwest, University of Illinois-Chicago Circle, Chicago. Aparecerá en las *Actas,* eds. Lucía Elías-Olivares y David Nasjleti.

— (1980c): «Some Theoretical Implications of Liquid Gliding in Cibaeño Dominican Spanish». Ponencia al X Linguistic Symposium on Romance Languages, Universidad de Washington, Seattle. Aparecerá en *Papers in Romance,* Universidad de Washington.

— (1981): «Sobre la posteriorización de las consonantes posnucleares en el español antillano: reexamen teórico-descriptivo». Ponencia al VI Simposio de Dialectología del Caribe Hispánico, Universidad Católica Madre y Maestra, Santiago, República Dominicana.

— y Joaquín Roy (1980): *La estructura fónica de la lengua castellana.* Barcelona, Anagrama

Haden, Ernest F. y Joseph H. Matluck (1973): «El habla culta de La Habana: análisis fonológico preliminar». *AdeL* 11: 5-33.

Haensch, Gunther (1980): «Algunas consideraciones sobre la problemática de los diccionarios del español de América». *Lingüística Española Actual* 2, 2: 375-384.

Hammond Robert M. (1976): *Some Theoretical Implications from Rapid Speech Phenomena in Miami-Cuban Spanish.* Tesis doctoral de la Universidad de la Florida.

— (1978): «An Experimental Verification of the Phonemic Status of Open and Closed Vowels in Spanish». *CADCH,* 93-130.

Harris, James W. (1969): *Spanish Phonology.* Cambridge (Massachusetts), Massachusetts Institute of Techonology. 1975: *Fonología generativa del español,* tr. Aurelio Verde, Barcelona, Planeta.

— (1975): «Stress Assignment Rules in Spanish». 1974: *Colloquium on Spanish and Portuguese Linguistics,* eds. W. G. Milán, J. J. Staczek y J. C. Zamora. Washington, D. C., Georgetown University, 56-83.

— (1978): «Two Theories of Non-automatic Morphophonological Alternations». *Lg* 54: 41-60.

— (1980): «Lo morfológico en una gramática generativa: alternancias vocálicas en las formas verbales del español». *EFLC,* 141-199.

Henríquez Ureña, Pedro (1921): «Observaciones sobre el español en América». *RFFE* 8: 357-390.

— (1932): *Sobre el problema del andalucismo dialectal de América.* Buenos Aires, Hernando.

Hjelmslev, Louis (1943): *Omkring sprogteoriens grundlaeggelse.* Copenhagen, Ejnar Munksgaard, 1971: *Prolegómenos a una teoría del lenguaje,* tr. José Luis Díaz de Liaño, Madrid, Gredos.

Hooper, Joan Bybee (1976): *An Introduction to Natural Generative Phonology.* New York, Academic Press.

Jiménez Sabater, Max A. (1975): *Más datos sobre el español de Santo Domingo.* Santo Domingo, Ediciones INTEC.

Kany, Charles E. (1951): *American Spanish Syntax.* Chicago, University of Chicago.

— (1960): *American Spanish Euphemisms.* Berkeley, University of California.

Kvavik, Karen H. (1974): «An Analysis of Sentence-initial and Final Intonational Data in Two Spanish Dialects». *Journal of Phonetics* 2: 351-361.

— (1978): «Directions in Recent Spanish Intonation Analysis». *CADCH,* 181-197.

— (1981): «Spanish Multiaccent Intonations and Discourse Functions». Ponencia al XI Linguistic Symposium on Romance Languages, Universidad de Texas, San Antonio. Aparecerá en *Actas,* ed. P. Lantolf, Bloomington, Indiana University Linguistic Club.

— y Carroll L. Olsen (1974): «Theories and Methods in Spanish Intonational Studies». *Phonetica* 30: 65-100.

Labov, William (1972): *Sociolinguistic Patterns.* Filadelfia, University of Pennsylvania.

Ladefoged, Peter (1975): *A Course in Phonetics.* New York, Harcourt Brace Jovanovich.

Lantolf, James P. (1976): «On Teaching Intonation». *The Modern Language Journal* 60: 267-274.

Lapesa, Rafael (1964): «El andaluz y el español de América». *PFLE* II: 173-182.

— (1970): «Las formas verbales de segunda persona y los orígenes del 'voseo'». *Actas del Tercer Congreso Internacional de Hispanistas.* México, El Colegio de México, 519-532.

— (1980): *Historia de la lengua española.* Madrid, Gredos.

Lázaro Carreter, Fernando, 1968: *Diccionario de términos filológicos.* Madrid Gredos.

Liberman, A. M., F. S. Cooper, D. P. Shakweiler y M. Studdett-Kennedy (1967): «Perception of the Speech Code». *Psychological Review* 74: 431-461.

Lieberman, Philip (1965): «On the acoustic Basis of the Perception of Intonation by Linguists». *Word* 21: 40-54.

Lope Blanch, Juan M. (1963): «En torno a las vocales caedizas del español mexicano». *NRFH* 17: 1-19.

— (1968): *El español de América.* Madrid, Alcalá. Versión en inglés en *CTL4,* 106-157.

— (1969): *El léxico indígena en el español de México.* México, Colegio de México.

— (1974): «Anglicismos en la norma lingüística culta de México». *Románica* (La Plata) 5: 191-200.

— (1975): «Delimitación de las zonas dialectales de México: objetivos y problemas». *Hispania* 58, 1: 127-130.

López Morales, Humberto (1971): *Estudio sobre el español de Cuba.* New York, Las Américas.

— (1979a): «Desdoblamiento fonológico de /e,a,o/ en el español de Cuba». *Estudios ofrecidos a Emilio Alarcos Llorach* IV. Universidad de Oviedo, 153-165.

— (1979b): *Dialectología y sociolingüística: temas puertorriqueños*. Madrid, Playor.

Lozano, María del Carmen (1979): *Stop and Spirant Alternations: Fortition and Spirantization Processes in Spanish Phonology*. Bloomington, Indiana University Linguistic Club.

Ma, Roxana y Eleanor Herasimchuk (1971): «The Linguistic Dimensions of a Bilingual Neighborhood». *Bilingualism in the Barrio*, eds. Joshua Fishman, Robert L. Cooper y Roxana Ma. Bloomington, Indiana University.

Martínez, Fernando Antonio (1968): «Lexicography». *CTL4*, 84-105.

Matluck, Joseph H. (1963): «La *é* trabada en la ciudad de México: estudio experimental». *AdeL* 3: 5-34.

— (1965): «Entonación hispánica». *AdeL* 5: 5-32.

— (1969): «Entonación: lo fonético y lo fonológico». *El simposio de México. PILEI*. México, Universidad Nacional Autónoma de México.

Montes Giraldo, J. J. (1966): «Observaciones sobre el español de Montevideo». *Notas Culturales. Instituto Caro y Cuervo*, junio 1966, 1-4.

Morínigo, Marcos A. (1959): *Programa de filología hispánica*. Buenos Aires, Nova.

— (1964): «La penetración de los indigenismos americanos en el español». *PFLE* II: 217-226.

— 1966: *Diccionario manual de americanismos*. Buenos Aires, Muchnik.

Murillo, Catherine Ann (1978): *The Interaction of Linguistic Constraints on Spirantization in Argentinian Spanish*. Tesina de Maestría de San Diego State University (California).

Navarro Tomás, Tomás (1943): *El cuestionario lingüístico hispanoamericano*. Buenos Aires, Instituto de Filología.

— (1948): *El español en Puerto Rico: contribución a la geografía lingüística hispanoamericana*. Río Piedras (Puerto Rico), Editorial Universitaria.

— (1964): «La medida de la intensidad». *BF* 16: 231-235.

— (1965): *Manual de pronunciación española*. Madrid, Publicaciones de la Revista de Filología Española 3.

— (1966): *Manual de entonación española*. 3.ª ed. México, Colección Málaga.

Neves, Alfredo N. (1973): *Diccionario de americanismos*. Buenos Aires, Sopena.

Oroz, Rodolfo (1966): *La lengua castellana en Chile*. Santiago, Universidad de Chile.

Ortiz y Fernández, Fernando (1922): «Los afronegrismos de nuestro lenguaje». *Revista Bimestre Cubana* 17: 321-336; citamos de *ALC* I: 351-367.

Perissinoto, Georgio (1975): *Fonología del español hablado en la ciudad de México: ensayo de un método sociolingüístico*. México, El Colegio de México.

Poplack, Shana (1979a): *Function and Process in a Variable Phonology*. Tesis doctoral de la Universidad de Pennsylvania.

— (1979b): «Sobre la elisión y la ambigüedad en el español puertorriqueño: el caso de la /n/ verbal». *BAPLE* 7, 2: 129-143.

Pratt, Chris (1980): *El anglicismo en el español peninsular contemporáneo.* Madrid, Gredos.

Resnick, Melvyn C. (1975): *Phonological Variants and Dialect Identification in Latin American Spanish.* La Haya, Mouton.

Rojas, J. Nelson (1981): «Sobre la semivocalización de las líquidas en el español cibaeño». Ponencia al VI Simposio de Dialectología del Caribe Hispánico, Universidad Católica Padre y Maestra, Santiago, República Dominicana.

Rona, José Pedro (1964): «El problema de la división del español americano en zonas dialectales». *PFLE* I: 215-226.

Rosenblat, Angel (1945): *La población indígena de América desde 1492 hasta la actualidad.* Buenos Aires, Institución Cultural Española.

— (1954): *La población indígena y el mestizaje en América,* 2 vols. Buenos Aires, Nova.

— 1958: *El castellano de Venezuela: la influencia indígena.* Caracas.

— (1962): *El castellano de España y el castellano de América: unidad y diferenciación.* Caracas, Instituto de Filología Andrés Bello.

— (1969): *Buenas y malas palabras en el castellano de Venezuela,* 4 volúmenes. Madrid, Mediterráneo.

Rubin, Joan (1968): *National Bilingualism in Paraguay.* La Haya, Mouton.

Saussure, Ferdinand de (1915): *Cours de linguistique générale.* París. 1945: *Curso de lingüística general,* trad. Amado Alonso, Buenos Aires, Losada.

Solé, Carlos (1970): *Bibliografía sobre el español en América: 1920-1967.* Washington, D. C., Georgetown.

— (1972): *Bibliografía sobre el español en América: 1967-9171.* AdeL 10: 253-288.

Stockwell, R. P., J. D. Bowen e I. Silva-Fuenzalida (1956): «Spanish Juncture and Intonation». *Lg* 32: 641-665.

Terell, Tracy D. (1975): «La nasal implosiva y final en el español de Cuba». *AdeL* 13: 257-271.

— (1978): «Aportación de los estudios dialectales antillanos a la teoría fonológica». *CADCH,* 217-237.

— 1979: «Problemas de los estudios cuantitativos de procesos fonológicos variables: datos del Caribe hispánico». *BAPLE* 7, 2: 145-165.

— (1980): «Teoría generativo-transformacional y dialectología castellana». *EFLC,* 203-246.

Toscano Mateus, Humberto: *El español en el Ecuador. RFE,* Suplemento 61. Madrid: Consejo Superior de Investigaciones Científicas.

Tovar, Antonio (1961): *Catálogo de las lenguas de América del Sur.* Buenos Aires, Sudamericana.

— (1964): Español y lenguas indígenas; algunos ejemplos». *PFLE* II: 245-257.

Underwood, N. G. (1971): *A Study of the Intonation of Chilean Spanish.* Tesis doctoral de la Universidad de George Washington.

Valverde, J. M. (1955): *Guillermo de Humboldt y la filosofía del lenguaje.* Madrid, Gredos.

Vaquero de Ramírez, María T. (1978): «Hacia una espectrografía dialectal: el fonema /č/ en Puerto Rico». *CADCH,* 239-247.

Vidal de Battini, Berta Elena (1964): «El español de la Argentina». *PFLE I:* 183-192.

Wagner, Max Leopold. (1927): «El supuesto andalucismo de América y la teoría climatológica». *RFE* 14: 20-32.

Zamora Munné, Juan Clemente (1968): «Early Loan-Words in the Spanish of Mexico and the Caribbean». *Buffalo Studies* 4, 3: 27-42.

— (1971a): «Indigenismos en el español americano». Conferencia en la serie *La España Profunda,* Cursos de Verano, Universidad de Salamanca.

— (1971b): «Orígenes del español americano». Conferencia en la serie *La España Profunda,* Cursos de Verano, Universidad de Salamanca.

— (1972): «Lexicología indianorrománica: chingar y singar». *Romance Notes* 14, 2: 1-5.

— 1975: «Morfología bilingüe: la asignación de género a los préstamos». *The Bilingual Review* 2, 3: 239-247.

— (1976): *Indigenismos en la lengua de los conquistadores.* Río Piedras (Puerto Rico), Editorial Universitaria.

—(1979a): «Mayismos y quechuismos: lengua general y hablas locales». Ponencia a la II Inter-American Conference on the Spanish Language in Contact, Social Science Research Council, New York.

— (1979b): «The Impact of the New World on Spanish». Ponencia a la Annual Conference of the Modern Language Association, San Francisco (California). Aparecerá en *Revista/Review Interamericana* (Puerto Rico).

— (1980): «Consideraciones etnolingüísticas sobre los indigenismos antillanos». Ponencia al V Simposio de Dialectología del Caribe Hispánico, Universidad Central de Venezuela, Caracas.

— (1981): «Las zonas dialectales hispanoamericanas». Ponencia al X Simposio del Programa Interamericano de Lingüística y Enseñanza de Idiomas (PILEI), Cornell University, Ithaca, New York. Aparecerá en el *Boletín de la Academia Norteamericana de la Lengua Española.*

Zamora Vicente, Alonso (1967): *Dialectología española.* Madrid, Gredos.